科學史上最有梗的20堂化學課

最有梗的

20堂化學課

下

40部線上影片 讓你秒懂化學

姚荏富・胡妙芬 —————— 文

陳彥伶 —————————— 圖

LIS科學教材研發團隊 —— 總監修

鄭志鵬(臺北市立龍山國中理化教師)— 審訂

 # 作者序

幫助每個孩子培養科學素養與解決問題的能力

　　你可能沒聽過「LIS」，卻很可能曾經在學校、課後班或其他地方，看過老師分享我們所做的化學史及化學課程影片。

　　你可能曾經好奇過LIS是誰，怎麼能把枯燥的科學講得這麼生動有趣？其實LIS是一個非營利組織，由許許多多對教育有熱情的年輕人所組成。我們的成員大都不到三十歲，跟中學生的年齡距離「相對沒那麼遙遠」，所以很了解孩子們在想什麼、需要什麼、在學習上會在哪裡卡關，又是多麼希望艱深的科學知識能變得更加平易近人。

科學家解決問題的思維與方法

　　LIS的宗旨是「Learning In Science」。「讓每一個孩子，擁有實踐夢想的勇氣和能力！」則是我們對教育的願景。我們相信學習本質其實是STEAM或是PISA在談的「好奇心」、「批判性思考」和「解決問題能力」，這才是每一個人一輩子都用得到的能力。因此，我們從科學開始，爬梳科學史的脈絡，將科學家解決問題的思維、方法及過程，開發成獨一無二的創新教材。

　　我們設計的教材包含影片製作與教案開發。在影片特色方面，會以動畫和戲劇的方式，把科學變得更圖像化且富有故事，所以大家在觀看時會很容易進入我們設定的情境，進而引起學習動機。而我們設計的教案，則會將影片中科學家發現及產出知識的情境還原給孩子，希望能讓他們在科學史中探究、冒險，最後培養出科學能力。

　　我們在知識內容的製作上花了相當多的功夫，這是因為一個理論的出現或一個研究的發現，並不完全是簡單的突發事件，必須找到這些發現的前因後果，才能還原當時科學家所遇到的問題。而在研究與討論史料的過程中，我們經常討論到許多有趣的

歷史背景或是科學家的奇人軼事，例如，同樣的一個發現、一個成就，或是一個大事件會出現，通常是由許多不同的因素累積而成的，它包括了時代背景、前人累積的知識、各國在科學發展上的角力、甚至是研究儀器的水平等等，都是成就這些故事的重要條件。

對我們來說學習的本質就是如此：試著去深掘問題、試著去找到屬於自己的答案，最重要的是保持對事物的好奇心。

只是，所有的歷史事件都不是短短幾分鐘就可以說完的，影片最多只能將最精華的部分呈現給大家，這也是我們覺得蠻可惜的地方。

書是影片的延伸

也因為這個「想讓大家讀到完整科學發展」的初衷，我們決定與親子天下合作出書。書中的關鍵人物——LIS老師，代表我們這個組織所有人的智慧結晶，並透過「嚴八」和「魯芙」這兩個跟影片有扣連的角色（魯富對不起，讓你變成女生了！）代替正在跟化學奮鬥的廣大學生——也就現在正在看這套書的你們發聲及提問。

在長達一年半醞釀出書的過程中，十分感謝兒童科普作家胡妙芬提供了她寶貴的寫作經驗，讓我們的內容變得更加生動有趣，還要感謝親子天下兒童產品中心副總監林欣靜為這本書花了非常多的心思，只為做出夠棒的內容呈現給大家。

最後我們想跟大家說，這是一套完全不同於坊間科普童書的作品，結合**科學史**、**科學家人物傳記**、**科學理論演進歷程**等多元面向，還特別設計了能讓大家天馬行空發問的「快問快答」單元。在閱讀時，你可以把它拿來配合我們的影片當作補充資訊，也可以把它視為科普版的「科學通史」，甚至是單純把它當作有趣的科學故事書來讀……這都沒有問題，因為我們相信這套書的內容，結合了我們耕耘多年的知識結晶，一定能讓大家得到意想不到的收穫。

LIS科學教材研發團隊

 # 推薦序1

創造學習科學的嶄新途徑

　　第一次聽到嚴天浩的名字，是我在臺大科學教育中心（CASE）從事科學傳播時，據聞有一位年輕學生為了改變愈趨下沉的教育，興起要翻轉教室、製作新教材教法的初心，挽回課堂中眾多無奈學子的興趣與注意力，讓他們能夠樂於學習。隨後，就聽說他在推動「表演科學」；不久後，更號召同好成立了「LIS科學教材研發團隊」的非營利組織，單單靠著募款，用戲劇表演和動畫的方式向中小學生講解化學和化學史，還把教學內容錄製成影片，上架Youtube網站，分享給學生們免費觀賞自學。

科教、科普、科傳三合一

　　LIS的作法正符合我在推動的科教、科普、科學傳播三合一的工作模式。「科學傳播」（Science Communication）顧名思義就是將科學內容傳播給普羅大眾，可是很少人會想到把傳播直接用在教育上。傳播是媒體的習慣做法，卻不是一般教育人士的專長，所以也難為保守的教育界所用。科教、科普、科傳三合一是一種跨領域的手段，關鍵在把專業的內容轉化，製作成大眾容易且樂於接受的閱聽形式，換句話說必須創造市場。傳播通常會主動的設定明確的受眾對象，意即市場要有區別才利於行銷。此外，還要能夠穩定的經營，並創造能夠永續的「商業模式」。上述這些都是知易行難的道理，LIS團隊多是剛踏出校門的年輕人，卻難能可貴以勇闖難關的熱心、信心及決心把教育產品推進網路、學校，如今，更進一步要出版發行書籍產品。

　　在科教的環境中，教師上課準備製作教材是例行的工作。但是穿上戲裝模擬科學在歷史上發生的故事，包括人、事、時、地以及他們的審問、慎思、明辨、爭論、論

證、發現問題、解決問題等過程，並選擇精要的部分表演給觀眾看，就是費時費事的教材教法。而這一切都是為了學生有效學習而生的非常手段，絕不是尋常老師們在課堂會做或能做到的。

除此之外，這群年輕人還偕同了知名的兒童科普作家，一同協力將既有的傳播內容和教材教法，延伸轉製成《科學史上最有梗的20堂化學課》套書。這套書從古希臘時代自然哲思談起，一路介紹煉金術的影響、十七至十九世紀化學發展歷程、十九至二十世紀電學在化學的應用，以及人類如何找出原子的內部結構等過程，書中介紹了數十位科學家的傳記軼事，並以他們科學知識的產出，編寫出了最精華的二十課內容。

書中還特別設計了LIS老師與嚴八、魯芙兩個學生的角色，透過大量的對話來討論知識，文體的撰寫更充滿了故事性，每一章節都能連結「LIS影音頻道」，更有結合生活化學的「快問快答」專欄，提供趣味知識來增加全書的可讀性。這些內容都使得此套書得以與LIS既有的化學教材完美銜接，因為畢竟閱讀仍然是從書本學習知識的基本元素。

科學思維的多樣化傳播

科學思維其實不是平常一般的思考方式，LIS的年輕團隊，熱血又聰明的運用了媒體傳播的方式，創造了新的教材教法，提供了學科學的嶄新途徑。這卻不是一個取巧的方式。他們放在內容中的科學史素材必然做了極多的深度閱讀和考據。讀者們閱讀這套書如果覺得其中的故事興味盎然，好奇作者是如何知道這麼多典故，就必須佩服LIS在演戲之外所投入的學術功夫是絕不馬虎。真正的學習是有為者當若是，作者若能把參考資料整理完備，也就滿足了科普書延伸學習的條件。

年輕人就是要懷著志氣和勇氣創造自己的未來。

陳竹亭

臺灣大學化學系名譽教授、遠哲科學教育基金會董事長

推薦序2

科學一點都不理所當然

　　小時候很喜歡看一些科學家的傳記，像是拉瓦節、法拉第、門得列夫等偉大科學家的故事。每次閱讀時，都會覺得這些科學家真是厲害，總是可以輕易的找出許多嶄新的科學定理，讓科學往前一大步。他們好像超級英雄一樣，彷彿有著別人都沒有的超能力，看到別人看不到的關鍵問題，做到別人做不到的關鍵實驗，解決別人都無法解決的難題。同時代的其他人，好像只能扮演配角協助主角完成大業，甚至是阻礙主角成功的反派角色。

　　後來長大了，做了科學教師，身為菜鳥老師常常覺得許多科學的發現想法都非常的直覺，就像小時候看的科學家傳記那樣，許多的發現感覺都很順理成章；就如同我們當學生的時候，老師也總是直接告訴我們最後的公式，好像這世界運行的規則一如那些偉大科學家總是可以一眼看穿的那樣理所當然。但後來我慢慢發現，對學生來說這些發現與定理，似乎不是真的那麼理所當然。從他們提出的許多問題，也讓我發現對於相同的現象，其實有許多不同的方式可以解釋。我認為的理所當然也似乎並不總是那麼理所當然。

　　為了找課程設計的靈感，需要找尋更多科學史的資料作為素材，慢慢才瞭解到——原來要發現一個新的定理其實不是那麼容易的事情。要突破一個既定的觀念，找到反駁的證據與建立一個新的模型，往往需要如同偵探般的能力，綜合大量的想像力、創意、觀察力、執行力，才能將許多蛛絲馬跡拼湊成一個完整故事。這麼大量的工作又其實往往不是出自一個人之手，而是長期的、連續性的、迂迴輾轉的逐步承接前人的想法，逐漸建立起人類對於自然界的認識。

描繪科學進展的真實樣貌

　　幾年前為了設計自然探究課程，搜尋科學史的素材時偶然看到了LIS在youtube上的影片，一看之下驚為天人！不只是因為他們用了淺顯逗趣的方式來描述科學史，更是因為他們所描述的科學史正是演出了科學進展更真實的樣貌。影片中常會看到一個科學家所在的時空中，人們是怎麼認知這世界的？這樣的認知到底產生了什麼矛盾之處？科學家又是怎麼抽絲剝繭建立新的概念。每一段影片結束時，常常不是以提供一個「答案」的方式呈現，而是以「問題」作為結束。所以說結束，其實永遠也沒有結束──正如同科學的進展不會有終點，那是一個連續的過程，不斷對自然提出新的問題的過程。

　　《科學史上最有梗的20堂化學課》這套書中，扣連了LIS最開始的成名作「自然系列─化學篇」一系列影片變成科學史讀本。這是科學教師的福音，也是中小學生的福音。書中呈現了化學篇中，從古希臘的泰勒斯開始到二十世紀人類找出原子內部結構為止。在一段段的科學故事中，可以看到拉瓦節扳倒了燃素說，建立了化學共通的溝通符號。但是在歸納整理元素的時候他卻把「光」和「熱」也列為了元素，也誤以為酸的本質是「氧」。道耳頓提出了原子論，讓我們對於物質的認識往前跨了一大步，但他認為「原子不可分割」，卻要等待將近百年後由湯姆森發現電子才跨出下一步。偉大的科學超級英雄也會犯錯，科學不能怕犯錯，才能一步步往前有所進展。

　　這一步一步的進展，都描述在書中，搭配在書裡面附上的連結QRcode，讓讀者可以連結文字和影片，將這上千年的歷史進展好好的讀一讀、看一看。趣味與荒誕的劇情裡面有硬底子的科學和歷史考據功夫，有科學本質和探究辯證的珍貴元素，絕對值得科學老師和愛好科學的學生一讀再讀！

鄭志鵬（小P老師）
臺北市立龍山國中理化老師

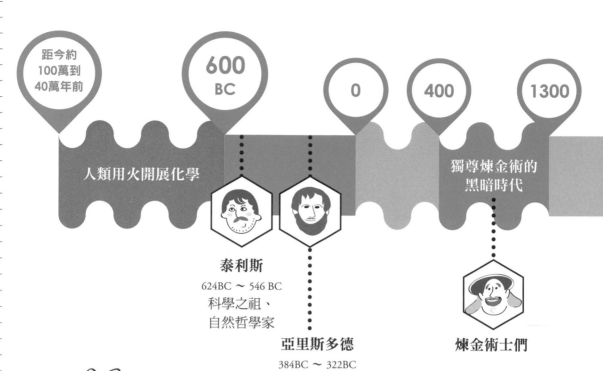

距今約100萬到40萬年前　600 BC　0　400　1300

人類用火開展化學

獨尊煉金術的黑暗時代

泰利斯
624BC ～ 546 BC
科學之祖、
自然哲學家

亞里斯多德
384BC ～ 322BC
希臘哲學家、四元素說

煉金術士們

化學史
關鍵年表

柏瑟列
1748 ～ 1822
發現可逆反應

伏打
1745 ～ 1827
發明電池

道耳頓
1766 ～ 1844
原子說

給呂薩克
1778 ～ 1850
氣體化合
體積定律

烏勒
1800 ～ 1882
有機化學

1800

戴維
1778 ～ 1829
電解

亞佛加厥
1776 ～ 1856
分子說

1400

1600

1700

1800

文藝復興

波以耳
1627 ～ 1691
化學之父
懷疑派化學家

史塔爾
1659 ～ 1734
燃素說

卜利士力
1733 ～ 1804
發現
「失燃素空氣」
（氧氣）

賈法尼
1737 ～ 1798
動物電

拉瓦節
1743 ～ 1794
質量守恆
化學命名法

古德柏格
1836 ～ 1902

瓦格
1833 ～ 1900
化學平衡式

阿瑞尼斯
1859 ～ 1927
電解質解離

湯姆森
1856 ～ 1940
發現電子

查兒克
1891 ～ 1974
發現中子

門得列夫
1834 ～ 1907
週期表

索任生
1868 ～ 1939
pH值指標

拉塞福
1871 ～ 1937
發現原子核和質子

1900

2000

9

目錄

本書特色

這是一本結合科學史、科學理論解析，以及科學家人物故事的超有趣科普書。

1 故事主文會告訴你重要的化學理論是怎麼出現及演進歷程。

2 人物專欄要帶你認識眾多科學家不為人知的祕辛。

3 「快問快答」單元專門回答你對化學的疑難雜症。

4 跟著「LIS影音頻道」掃瞄QR Code，就能看到延伸內容影片，學習更全面。

出場人物

魯芙	LIS老師	嚴八
雙魚座	天秤座	射手座
14 歲	年齡不詳	14歲

凡事認真，愛笑又愛哭的中學女生。喜歡化學卻老是學不好，聽説科學史研究社來了很厲害的新老師，連忙拉著好友嚴八一起參加。

科學史研究社的社團老師。自認是浪漫的科青，最愛自己蓬鬆有型的鬈髮。喜歡化學和烹飪，最擅長用説故事的方式讓學生愛上科學。

滿臉雀斑的大男孩，討厭考試與教科書，經常在上課時偷看漫畫，很好奇竟有「聽故事就能學會化學」的社團，勉為其難跟著魯芙一起去。

第 11 課

用電解發現新元素

戴維

話 說，伏打電池全新推出，一時之間門庭若市、萬頭鑽動，馬上成為科學世界最潮、最夯的新玩具，各個科學家迫不及待，想要找到除了可以「電動物」之外，伏打電池還有什麼科學用途。因為如果這個新發明也只能電人、電動物，那不就跟以前的「萊頓瓶」沒有兩樣嗎？這未免也太可惜了！

還好，1800年伏打發表的「伏打堆」，不但是電力強化的改良版，使用方法也不困難，只要將電池的正極和負極分別接上導線，剩下的就只要等電池慢慢放電即可，所以很快就有人找出它的新用途。就在同一年，出現了一篇十分重要的實驗報告，那就是——《利用電池電流分解水的方法》。

伏打　　　別走呀！　　　走開，別再來電我們！

電原來能分解物質

「什麼？電流可以分解水？」這種想法在當時非常新鮮。因為過去的科學家們，一直以為只有「火」可以分解物質，沒想到當下最時髦的「電」竟然也可以！

這篇報告是英國科學家威廉・尼科爾森（ William Nicholson ）和安東尼・卡里斯厄（Anthony Carlisle）的研究成果。他們用三十六枚銀幣加上鋅片、中間夾著以鹽水浸漬的硬紙片做成電堆，並用金箔做電極。當電極被放進水裡後，電極上開始有氣體產生，於是他們又用排水集氣法來收集這些氣體，但是……竟然只得到一點點的……氣體。

我們整整電了
十三個小時！

威廉・尼科爾森
1753～1815
英國化學家

竟然只得到
一立方英吋
的氣體！

安東尼・卡里斯厄
1768～1840
英國外科醫生

已經不錯了。
之前有人用萊頓
瓶電水，重複放
電一萬四千次，
最後只得到一個
小氣泡！

其實，尼科爾森和卡里斯厄的電解非常成功。雖然實驗的時間很長，但他們成功從正極和負極上收集到純淨的氣體——負極產生「氫氣」，正極產生「氧氣」；而且，氫氣的體積還剛好是氧氣的兩倍，這剛好就是產生水所需的氫氣和氧氣體積比例（水的化學式即為H_2O），所以這項報告公布之後，馬上就轟動了科學界。

同年九月，德國科學家瑞特（Johann Wilhelm Ritter，1776～1810）也用新玩具做了類似實驗，一樣在正負極得到氧氣和氫氣，還加碼電解硫酸銅溶液，並產出了銅金屬，再次轟動科學界。

喔！哇！電真好用！

有了這些發現，才讓當時的科學家意識到：「原來電可以拿來分解化學物質！」這就是現在化學課本所教的「電解現象」喔。

以前的科學界也
太容易轟動了吧！

發現笑氣闖出知名度

接下來,很快的換我們的電解大師——戴維(Humphry Davy, 1st Baronet)出場。一開始,戴維只是英國牛津大學一名化學系教授的氣體研究助手,並在1799年發現了俗稱「笑氣」的一氧化二氮(N_2O,亦稱為氧化亞氮)。由於吸入笑氣會引人發笑,演示效果新鮮有趣,戴維也漸漸成為英國和歐洲的知名人物,他被英國皇家學院的院長請到倫敦主持科學講演,更是大受歡迎、一票難求,所以戴維在還不到二十五歲時,就已成為風靡英國學術界的明星教授。

看到這裡你可能會覺得有點奇怪,沒錯,當時去聽科學講演可是要買票的喔!看看下面這張1802年的漫畫你就知道,在那個沒有電視、電影和網路的年代,觀看科學家講演新發現——一會兒冒煙、一會兒爆炸,一會兒通電、一會兒噴火花……簡直跟變魔術一樣,是非常吸引上流社會少爺小姐們參與的時髦活動。

深入現象細節探究

　　但是當戴維看過《利用電池電流分解水的方法》後，他的注意力徹底的被電解現象吸引住。而且戴維不研究還好，一研究便快速成為電解領域的高手。後來他把幾年內研究電解的結果寫成《關於電的某些化學作用》一書，在英國皇家學會發表，獲得當時科學界的大力讚揚。

　　戴維之所以能稱為大師，不只是因為他「很會電解」，而在於他對電解過程中發生的現象，做了許多仔細的研究。

　　像是當時科學家發現──只要電解水，正極總會出現「酸」，負極總會出現「鹼」。當大家找半天也搞不清楚酸鹼打哪兒來時，戴維卻換了一個方向想：「水是由氫和氧所組成的，分解後也應該只有氫和氧，如果出現了不應該出現的酸鹼，應該是因為水有雜質所造成的。」所以，他用純淨的蒸餾水取代一般的水，並且打入氫氣驅趕水中的其他氣體，再次進行電解，果然就不會產生酸和鹼了。

　　這個實驗成功後，讓戴維進一步想到：對水來說，鹽溶液（即鹽水）中的鹽，不也算是「雜質」嗎？所以他大膽的推測：電解鹽溶液肯定也能夠得到酸鹼！果不其然；他拿硫酸鹽來試驗，的確得到了硫酸和鹼。

　　不只如此，戴維還推論：氫、金屬、鹼應該都帶正電，所以會被負極吸引，才會出現在負極。相反的，氧和酸都帶負電，所以會被正極吸引，才會出現在正極。在當時，人們並不知道使物質結合的「親和力」究竟是什麼東西？而戴維的理論，認為**「物質間的親和力就是電力」**，不只符合異性相吸、同性相斥的電學概念，也清楚說明物質為什麼能被電分解的原因。

　　簡單講，戴維指出，**物質會結合是因為有正、負電，但是只要出現比物質正負電更強的電極，就可以把它們拆開**。上述這些就是《關於電的某些化學作用》的主要內容，光是從電解現象就能解釋這麼一大堆，你說這不叫大師，誰叫大師咧？

用電解發現新元素

漢弗里・戴維
1778～1829
英國化學家

戴維在1806年發表《關於電的某些化學作用》一書後，並沒有停下腳步。1807年，他人生中最瘋狂的電解實驗，才要開始。

「如果化學的親和力真的像我假設的那樣，是因為正負電互相吸引，那麼，只要電力夠大，不就可以把物質拉開、也有機會發現新的元素嗎？」

戴維心裡這麼想。

於是他決定，要用強力電堆，從電解「苛性鹼」下手。

什麼是「苛性鹼」？「苛性」，是具有「腐蝕性」的意思，當時的苛性鹼，指的就是具有腐蝕性的氫氧化鈉或氫氧化鉀。不過，那個年代的人根本不知道有鈉或鉀這些元素。例如像拉瓦節，就以為苛性鹼可能是氮的某種化合物，那戴維呢？

「苛性鹼可能是氮的磷化物或硫化物吧？」

所以戴維完全沒有想到苛性鹼裡面其實藏著某種金屬，他一開始只

是很單純的想把它們分解開來。

不過，接下來的實驗並不順利。

他先電解苛性鉀的水溶液，但是電極上卻只得到氫跟氧。這代表水被電解了，但是鹼卻一點改變也沒有。

「看來水是個小麻煩，要在水中電解苛性鹼是不可行的，」戴維心想。「那可怎麼辦……」他接著推論：「試試看不要有水的苛性鹼好了！」

可是，完全乾燥的苛性鹼不導電，根本不能電解呀！所以，他試著把苛性鹼整個加熱熔化來試看看（嗶嗶嗶！這個實驗超危險，請勿、千萬、絕對不要摸仿！）這次確實能夠通電，但是因為溫度太高，整根負極燒了起來！

「有了有了，苛性鹼真的被分解了！」戴維的熱情果然異於常人，面對實驗的危險仍然滿臉興奮：「但是，溫度這麼高，我想得到的生成物，應該一出現就會被燒掉吧！」

戴維必須想想其他辦法。這次，他改讓苛性鹼「受潮」，變成要溼不乾的狀態去電解，結果果然有了重大進展。

「有了有了，負極開始有像水銀的珠子產生了！」戴維看著自己的成果很期待。為了不要讓生成物被燒掉，他動作迅速的把整個坩堝放進水裡降溫，結果……

砰！

悲劇發生了。這些類似水銀的珠子一碰到水，瞬間爆炸！戴維的一隻眼睛就這樣被炸瞎了。（嗶嗶嗶！實驗安全很重要，以上的實驗超危險，各位千萬不要重蹈覆轍啊！）

炸蝦？

是炸瞎啦！

　　但是眼睛受傷並沒有澆熄戴維的熱情。他繼續電解苛性鹼的實驗，最後得到一種從來沒人見過的東西——它閃著銀色光澤、能用小刀切開、比水輕、浮在水上會一邊冒泡一邊吱吱作響，戴維把它取名為「**鉀（K）**」。

我不會放棄的，一定要電解下去！

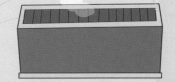

戴維的電解裝置

　　接著，他又電解苛性蘇打，發現了鉀的同門兄弟，戴維把它取名為「**鈉（Na）**」。

　　隨後，他在皇家學會的講台上，當場展示了鈉和鉀的神奇特性，台下的聽眾紛紛張大了嘴巴、睜大著雙眼，沒想到在具有腐蝕性的化學物中，竟然暗藏著閃著銀白光澤的奇怪金屬。

　　接下來的一年內，戴維繼續用他超高明的電解技術，陸續分離出**鈣（Ca）**、**鎂（Mg）**、**鍶（Sr）**、**鋇（Ba）**、**硼（B）**這五種全新的元素，最後在短短兩年內就成功發現七種元素，創下前無古人、後無來者的世界紀錄，也成為化學史上發現最多元素的第一人。

挑戰偉大的拉瓦節

當戴維用「電解」技術「電開」了通往化學新元素的大門，不難想像，許多化學家也前仆後繼的跟隨他的腳步，嘗試用新開發的電解技術，尋找世界上的其他新元素。

不過戴維的電解貢獻可不僅於此。由於電解是用來分離物質，除了可以分離出新的元素，也能用來確定某種物質還能不能再被分解。所以在找出許多新元素後，經常在電解酸鹼的戴維，又發現了一件驚人的事實：那就是大科學家拉瓦節「酸必然含有氧」的理論──其實是錯的。

說說看，我到底哪裡有錯？

拉瓦節

原來戴維在電解發現鹽酸時發現：鹽酸雖然是酸的，但電解後卻只能得到氫氣和一種黃綠色的氣體。而這種黃綠色的氣體，不管再怎麼做，就是無法分離出氧氣。所以，戴維在1812年出版的《化學的哲學原理》寫到：

「我認為氧化鹽酸（這種黃綠色氣體在當時的名字）不是一種化合物；它更像是一種單純的物質，像氧氣一樣可以幫助燃燒。所以燃燒並不像拉瓦節說的非氧氣不可，而酸其實也不一定要含有氧。」

顆顆

不過，礙於拉瓦節 ──（是個大人物） 的理論還是能解釋大部分的燃燒及酸鹼現象，當時戴維的看法並沒有被人們接受。但科學就是這樣，正確的理論不見得馬上被認同，但隨著時間的推進，錯誤的理論會被逐漸修正，正確的理論則會被留下來。

身為電解的高手、高高手，最後歷史終究證明戴維是對的。

快問快答 ||||||||||||||||||||||||||||||||||||||||||||||||||||||

1 除了「火」跟「電」以外，現在還有方法可以分解物質嗎？

加熱、通電、照光，都是經常用來分解物質的化學方法。古人用火，是讓物質在空氣中燃燒、分解。但後來發現，許多物質在沒有氧氣的狀況下加熱，也可以進行**「熱分解」(或裂解)**；還有些物質可以被光分解，稱為**「光解作用」**，像是大氣中的臭氧吸收紫外線後，會分解成氧氣和氧原子，就是一個例子。

當然，近代人們更發現使用中子或其他射線撞擊原子，也會使原子核分解。但是這一類的核分裂反應會產生新元素，傳統的加熱、通電、照光等方式則不會。

國中化學的「竹筷乾餾」實驗，就是利用熱來分解的例子。

鋁箔裡面包著竹筷

竹筷乾餾後會分解成氫氣、一氧化碳、甲烷、二氧化碳、醋酸、焦油和碳等物質

2 坊間有賣「電解水」，可是，水電解以後不是只會產生氫氣和氧氣嗎？喝電解水真的會變健康嗎？

如果是「純水」，電解之後只會產生氫氣和氧氣。但坊間推銷的「電解水」通常不是「純水」的產物，而是把含有鹽分的水電解後，再經過半透膜把電解出來的離子分離，成為「鹼性水」和「酸性水」液。

業者鼓勵大家喝的是「鹼性水」，他們認為喝下鹼性水會中和「酸性體質」，使人體恢復到比較健康的微鹼性狀態。但是這種説法很有爭議，至今也沒有得到科學界的證實。尤其是鹼性水進入人體的第一關是胃，胃會分泌強酸性的胃酸，把鹼性水中和掉。而且如果製造電解水的水本身水質不佳，也有可能電解出含有重金屬的鹼性水，無益於身體健康。

原來喝電解水不一定會變健康！

想要變健康，你的選擇不是只有喝電解水而已！

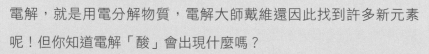

LIS影音頻道 ▶

【自然系列—化學｜酸鹼02】電解物質與酸鹼—電解大師戴維（上）
電解，就是用電分解物質，電解大師戴維還因此找到許多新元素呢！但你知道電解「酸」會出現什麼嗎？

【自然系列—化學｜酸鹼02】電解物質與酸鹼—電解大師戴維（下）
瘋狂進行各種電解實驗的戴維，成為了世界上發現最多元素的人！他還推翻了拉瓦節的重要發現——既然決定酸的關鍵不是氧，那究竟是什麼呢？

第 12 課

萬物皆由原子構成

道耳頓

吼～～
老師你的「原子課」
擺太後面了啦！

你別著急，
耐心聽我說下去吧……

翻開化學課本的前幾章，開宗明義就是介紹原子與分子。只不過課本的篇幅有限，短短幾頁就把原子介紹完了。但既然化學課本把原子擺這麼前面，為什麼LIS老師的化學課說到十九世紀都開始了，卻連個「原子」的影子都還沒提到呢？

事情是有原因的，一個理論講出來只要幾分鐘，但是在從無到有的形成過程中，卻必須經過非常非常……漫長的時間。現在的我們很幸運，翻開課本就知道「一個氧分子是由兩個氧原子構成」、「水是由一個氧原子加兩個氫原子構成」。但是，「世界上到底有沒有原子？」人類卻整整花了兩千多年，才慢慢摸索出來這個問題的解答。

原子論的起源

為什麼需要花這麼久的時間？這是因為原子非常微小，看不見也摸不著，當然也無法被人類「感覺」到。

舉例來說，一般人看到花，很容易觀察到它的顏色、花形、聞到花的香味；仔細深入探究，會發現花有雄蕊、雌蕊、還帶著微小的花粉。可是，如果不曾接觸過相關的知識，你會想到花是原子構成的嗎？通常不會。

這麼漂亮的花，
原來是由原子組成的。

無法被人類的感官感受到的東西，通常就不容易被發現；即使被發現，大部分的人不在意也不容易理解。所以這麼想想你就會明白，發現原子、建立原子理論的人有多麼厲害，又是多麼彌足珍貴。

最早提出「原子」這個名詞，是古希臘的哲學家。據說，兩千五百多年前的希臘哲學家們，曾為了「物質究竟是由什麼組成？」爭論不休。其中一派是原子派，認為世界萬物經過一次又一次的分割之後，會愈分愈小，最後小到無法分割時，那個無法被分割的最小單位，就叫做「原子」。所以原子的英文「atom」，就是從希臘文來的，意思是「不可分割」。

「原子」這個詞，後來也出現在西元前五世紀希臘哲學家德謨克利特（Democritus）著作中。德謨克利特認為，**自然世界**是由**「原子」**與**「虛空」**所構成的。**「原子是『存在』，虛空是『非存在』，但是『非存在』不等於『不存在』，只是因為原子是充實的，而虛空是沒有充實性的。」**

但是，哲學家們沒有做實驗，只是憑著日常經驗和自己的想像論述，有時可能會說錯，當然也有猜對的時候。所以「世界上到底有沒有原子？」還是要經過後代科學家的檢驗。

德謨克利特

460 BC～370 BC

古希臘哲學家

原子論 VS 微粒說

一直到十七世紀，咱們的化學之父波以耳在實驗中觀察到許多現象，公開表示贊同古哲人的觀點。但是他是用**「微粒」**（corpuscle）的說法，而不是原子：

波以耳

物質是由數目眾多的微粒構成的。
粒子先結合成粒子團，
粒子團再聚合成物質。

因為波以耳經常在實驗中發現「氣體是可以壓縮的」、「液體蒸發後可以瀰漫到整個空間」，以及「鹽塊溶解後，可以穿過濾布的微小孔隙」等現象，如果這些物質不是由微粒組成的，怎麼可能辦得到呢？所以，他在自己的著作《懷疑派的化學家》裡大力推銷「微粒說」，只是波以耳認為世界上的微粒只有一種，不同的物質只是因為微粒的粒子團以不同的數量、排列和運動方式結合在一起，所以才會產生差別。

或許是這種觀點太前衛，當時的化學家們普遍很難接受。倒是大科學家牛頓非常贊同，所以牛頓才會跟波以耳一樣相信「煉金」是可能的，因為他們認為：「反正物質都是由同一種微粒構成的，只要在煉金的過程中，找到重新排列組合粒子團的方法，賤金屬就能變成真黃金了！」

不過說歸說，當時還沒有先進的化學技術能夠檢驗原子或微粒是否真的存在，所以不管是原子論或微粒說，就只能這麼被擺著。

一直到了十九世紀，開始進入「電」的時代，聽起來雖然很先進，但人類對於物質的本質，根本還沒個底。比方說，卜利士力發現了製造氧氣的方法；拉瓦節也已經確認氧氣能助燃，並發現氧氣與兩倍的氫氣會生成水，但是氧究竟是由什麼物質構成的？這些物質又到底是圓的是扁的？仍然沒人知道。

直到1804年，半路殺出一個英國氣象學家道耳頓（John Dalton），人們對物質的基本組成，才有了一個大致正確的看法。

從空氣衍生出來的原子說

曼徹斯特日報

你還在為沒有辦法學好算數困擾嗎？
還在為讀不懂地理與環境而苦惱嗎？
想對數學與自然哲學有更深一層的理解嗎？
想說流利的外語並了解各種優雅的文法嗎？
約翰·道耳頓是你最佳的選擇
現在報名優惠價：一年只要十英鎊！！
心動不如馬上行動，意者請來信至弗克那街３５號。

約翰·道耳頓

上面這則廣告竟然署名「道耳頓」！沒錯，大科學家道耳頓又在刊登廣告找家教學生了。原來他不像大多數的科學家身為貴族，又為了專心做研究而辭去了忙到無法喘氣的大學工作，最後只好改用兼家教的方式，讓自己能自由研究又不致於餓死。

不過，讓人好奇的是，道耳頓在三十歲之前都主攻「氣象學」，為何後來會提出重要的化學理論「原子說」呢？其實，這一開始的確跟他最愛的氣象有關。

約翰·道耳頓
1766～1844
英國氣象學家、化學家、物理學家

由於道耳頓每天都會規律的觀測天空時，也對空氣產生了興趣：

「空氣為什麼能自由流動？它的基本組成又是什麼樣子的呢？」道耳頓的心裡充滿疑惑。後來，這個氣象學的研究課題，漸漸就變成探討化學物質本質的問題了。

他曾經把不同氣體混合，結果發現——**混合後的氣體壓力會等於所有氣體混合前的壓力總和。**

「原來每種氣體的壓力相加，會等於混合後的壓力，看來，這些氣體混合的相當均勻。」這是道耳頓觀察到的現象，但是，當他在1801年提出這項**「分壓定律」**時，還沒有辦法解釋其中隱藏的原因。

「要能均勻的混合，彼此之間又不會互相影響……」道耳頓持續不斷的思考：「應該就像老前輩波以耳說的一樣——氣體是由微小的粒子所組成的，所以，空氣的粒子才能自由、均勻分布在每個地方吧！」

氣體

粒子

道耳頓的觀察：

當兩種氣體被放在同一個空間的時候，

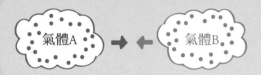 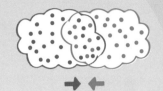

空氣的微小粒子也可以均勻的混合在一起。

應該就是微粒沒錯。
老前輩的話不是完全沒有道理。

不過，雖然道耳頓採用了波以耳的微粒觀點，但是他和波以耳最大的不同是——波以耳認為世界上的微粒只有一種；而道耳頓認為各種元素應該是由不同的微粒組成的。

於是，1803年，道耳頓在曼徹斯特哲學學會上，正式提出了他所發現的「原子說」：

1・「原子」是不能再分割的物質最小單位　　

2・同樣元素的原子擁有相同的性質與質量；
　　不同元素的原子則有不同的性質與質量

3・這些一顆一顆的「簡單原子」，
　　可以組成好幾顆原子一組的「複雜原子」　簡單原子　　　　複雜原子
　（也就是後來的「分子」，但當時還沒有分子的概念）。

4·原子或複雜原子之間變化的過程，就是所謂的「化學反應」

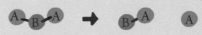

原子與複雜原子的變化過程＝化學反應

但是，不同元素的原子那麼小，看不見也摸不著，該怎麼區分不同元素的原子呢？道耳頓認為，可以利用「原子的重量」來區別。但是原子那麼小，總不能拿秤來秤重吧？

所以道耳頓想出一個聰明的辦法。他拿世界上最輕的元素「氫」做為標準，把**氫的重量當作「原子量1」**，然後看其他元素的重量是氫的幾倍，就能訂出不同元素的原子量了。

在當時，人們只知道物質含有什麼元素，但不知道元素間確切的比例。道耳頓認為自己既然提出了原子說，就有責任找出不同原子的原子量。所以他決定根據別人已經完成的研究來進行分析。

比方說，英國醫生奧斯丁（William Austin，1754～1793）發現在氨中——氫和氮的重量比是「20%：80%」，意即氮的重量是氫的4倍，所以氮的原子量就是4.0。另外，根據拉瓦節對水的分析——水中氫和氧的重量，分別占12%和88%，氧的重量是氫的7.3倍，那麼氧的原子量就是7.3。

最後道耳頓還用這種歸納分析的方法，列出了化學史上第一張「原子量表」，其中包含好幾種的簡單原子和複雜原子（如右表）：

ELEMENTS

Hydrogen 1   Strontian 46
Azote 5   Barytes 68
Carbon 5   Iron 50
Oxygen 7   Zinc 56
Phosphorus 9   Copper 56
Sulphur 13   Lead 90
Magnesia 20   Silver 190
Lime 24   Gold 190
Soda 28   Platina 190
Potash 42   Mercury 167

道耳頓的原子量表

這是人類化學世界的一大進展！雖然從現在的眼光看來，這種分析原子量的方法並不正確，計算出來的原子量也有待修正。但是道耳頓提出的原子說，還是大大的衝擊了當時的科學界，讓原本含糊不清的原子或微粒理論，有了更明確的定義。

更重要的是，道耳頓的原子理論影響了人們看待物質的方式，確認了——**「物質是由粒子組成的，物質變化是因為粒子的運動」**觀念。至於原子真的不可再分割嗎？要驗證這件事，又是將近一百年後的事了。

熱衷推廣教育的科學家

隨著道耳頓在科學界的聲名遠播，不管是歐洲或美洲的學者都試著與他聯絡。但是，當他們到他的住處拜訪時才發現：道耳頓雖然已是舉世聞名的科學家，卻仍舊過著清貧而簡樸的生活。

道耳頓沒有多餘的閒暇娛樂。真要說有什麼娛樂的話，那就是他很熱衷於推廣教育。除了繼續研究原子外，道耳頓還成立了「英國科學推廣協會」，定期舉辦「科學季」，把新的科學發現分享給社會大眾，使一般的民眾也可以了解科學。他還提供研究基金支持學生做研究，鼓勵他們對科學保持熱忱。這樣的活動確實幫助了許多未來的大科學家，像是提出**「能量不滅定律」**的英國物理學家焦耳（James Prescott Joule，1818～1889），正是道耳頓當時的學生。

不過，大名鼎鼎的道耳頓，仍然受到挑戰。接下來，來自法國的青年化學家給呂薩克（Joseph Louis Gay-Lussac，1778～1850）即將對他拋出「半顆原子」的挑戰。道耳頓的原子說頂得住嗎？會不會面臨需要被修正的命運呢？

科學的巨輪總是朝向真正的真理推進，就算最後發現自己的理論確實需要被修正，一生嚮往真理的道耳頓應該也會很高興吧！

快問快答 ||||||||||||||||||||||||||||||||||||||||||||||||||||||||||||||||||||||||

1 國中課程有教「原子」，也教到「元素」，但它們的差別究竟在哪裡？像是氧元素和氧原子到底有什麼不同呢？

元素是指只含有「一種原子」的純物質。例如，氧氣（O_2）是由兩顆氧（O）原子構成，臭氧（O_3）是由三顆氧原子構成，但因為它們的原子都只有一種，所以氧氣和臭氧都算是「元素」。而二氧化碳（CO_2）是由一顆碳（C）原子和兩顆氧（O）原子構成，含有的原子有兩種，所以二氧化碳不是元素，而是化合物；而構成二氧化碳的「成分元素」（也就是參與化合反應的元素）就是碳和氧。

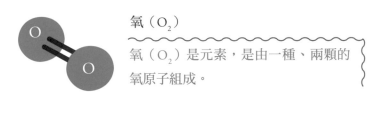

氧（O_2）

氧（O_2）是元素，是由一種、兩顆的氧原子組成。

二氧化碳（CO_2）

二氧化碳（CO_2）是化合物，是由碳和氧兩種原子所組成。

2 道耳頓的原子說到現在都還是對的嗎？

理論方向大致上是正確的，但有些部分也陸續經過修正及調整：

道耳頓的原子說	理論方向	科學家驗證後發現
一切物質都是由稱為「原子」的微小粒子所組成。	O	完全正確！
原子是不能再分割的！	X	原子裡還有**電子**、**中子**、**質子**等更小的粒子。
同一種元素的原子質量相同，不同元素的原子質量不同。	X	相同的元素可能會有不同的質量，那就是**「同位素」**。
一顆顆的原子可以組成好幾顆一組的「複雜原子」。	O	正確，不過，「複雜原子」現在改稱為**「分子」**。
原子或複雜原子之間的變化過程就是所謂的化學反應。	O	完全正確！

LIS影音頻道 ▶

【自然系列──化學 ┃ 物質探索05】原子說的出現──道聽塗說，不如聽道耳吞圖解原子說

「嗚嗚嗚學校倒了怎麼辦？」不同於前面幾集的「好野人」科學家，這集的道耳頓（道耳吞）從小又貧又苦。他究竟遇到了哪些好心人的幫助，找到了天地萬物間的重要祕密呢？

第 13 課

被遺忘的分子說
亞佛加厥 & 給呂薩克

開始，先想像一個熱鬧畫面……

1860年，在德國舉辦的卡爾斯魯厄會議（Karlsruhe Congress），是歷史上首次登場的國際化學家會議，也是全世界第一個聚集眾多科學家的國際聚會，總共有來自十五個國家、將近一百五十名頂尖化學家出席這個盛會，目標是希望在原子、分子、原子量、化學符號及化學命名法等問題，達成全世界一致的共識。

卡爾斯魯厄會議在化學史上佔著重要的地位，它象徵著化學研究終於形成世界性的共同體，有共同的符號和共同的語言。圖為十九世紀末的卡爾斯魯厄城市街景。

卡爾斯魯厄會議的重要插曲

　　這場史上首創的國際科學研討會長達三天，可惜直到最後一天，在場的科學家對原子與分子的概念，仍然無法達成共識。正當大家為了自己所支持的觀點，爭得面紅耳赤、音調也愈提愈高時，來自義大利的科學家——坎尼乍若（另譯：坎尼札羅，Stanislao Cannizzaro）突然在會議上發放一本神祕的小冊子……

拜託支持一下！

拜託！

好像在發便當廣告喔！

你就只會想到吃……

斯坦尼斯勞・坎尼乍若
1826～1910
義大利化學家

　　這本小冊子當然不是廣告傳單，而是坎尼乍若自己寫的《化學哲學教程提要》，裡面邏輯嚴謹、表達清晰，把原子與分子的概念講得一清二楚，馬上就吸引了大家的目光。

　　一本原本不起眼的小冊子，卻有如神功祕笈、熠熠發亮。據說，有位科學家事後回憶：「雖然只是一本小冊子，但卻撥開大家眼前的迷霧，許多疑團也煙消雲散了……」

　　於是，自從道耳頓在半個世紀前提出原子說後，化學世界出現的混亂現象，就被這本突如其來的小冊子給平息了。但諷刺的是，冊子裡讓大家迷霧頓開、豁然開朗的「分子說」，是引用自五十年前義大利化學家亞佛加厥（Amedeo Avogadro）提出的理論，只不過在當時沒有受到重視，還被眾人看輕，沒想到這下鹹魚翻身，竟然變成為大家解開疑惑與爭端的鑰匙。

　　讓我們把時光倒轉，回到1803年，也就是道耳頓提出原子說的隔年……

「半顆原子」 的風波

　　1804年，道耳頓剛提出震撼性的原子說後不久，給呂薩克正跟著德國的科學家兼探險家洪保德（Friedrich Wilhelm Heinrich Alexander von Humboldt，1769～1859），一起坐上熱氣球到達5800公尺的高空中，進行空氣測量與地磁學的研究。1805年他回國以後，則開始重覆進行當時很多科學家都做過的實驗——「氫與氧化合時的體積比實驗」。

約瑟夫・路易・給呂薩克
1778～1850
法國化學家、物理學家

年輕的給呂薩克發現：

當氫過量時，氫與氧化合的體積比是：

199.89（份）：100（份）

當氧過量時，氫與氧化合的體積比是：

199.8（份）：100（份）

換句話說，如果考慮可能出現的些許誤差，氫和氧化合成水的時候，體積大約呈現：

氫與氧→1：2

「真奇妙！其他的氣體反應，是否也會呈現這種『簡單整數比』的現象呢？」給呂薩克對這個實驗好奇心大爆發，接下來，他陸續測試了好幾種氣體：

煤氣與氧 → 200：100

氮氣與氫 → 100：300

氨與氯化氫 → 100：100

亞硫酸氣與氧 → 200：100

「哇，真的都有簡單的整數比！」

「這不會是巧合，其中一定隱藏著什麼驚人的祕密！」

於是，1808年，他提出**「氣體化合體積定律」**，認為：

各種氣體發生化學反應時，常以簡單的體積比相結合。

在當時，給呂薩克也跟大部分的科學家一樣，非常的支持道耳頓提出來的原子說；不過，道耳頓只說了物質是由原子構成，卻沒有告訴大家，是由「多少」原子構成？所以，還必須找到缺失的環節，才能解釋原子說所無法解釋的部分。

給呂薩克想找出的，就是這個關鍵性的理論。他用原子數量的觀點，探討自己找到的氣體化合體積定律，經過一長串的沙盤推演之後，他說：

「同溫同壓下，相同體積的不同氣體中，所含的原子數相同。」

當然，他這裡所說的「原子」與道耳頓一樣，都包含了簡單原子和複雜原子（化合物）。

但這個理論公開以後，受到道耳頓嚴厲的批評：

「給呂薩克的假設如果成立，那原子說不就會出現『半顆原子』的情形？」

「胡説胡説，不對不對！」

　　原來，道耳頓的反駁不是沒道理。首先，他認為，不同物質的原子大小不同，所以同體積的不同氣體，怎麼可能具有相同數目的原子呢？第二，就算同體積的不同氣體，「真的」具有相同數量的原子，那麼，給呂薩克自己説的：「一罐氫加一罐氯會生成兩罐氯化氫」──那麼，每罐氯化氫的原子裡，不就只含「半顆氯」和「半顆氫」原子嗎？

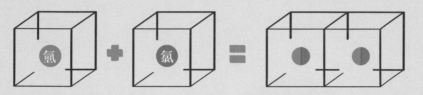

一罐氫＋一罐氯＝2罐氯化氫　　　　半顆氫原子＋半顆氯原子？？？

　　「年輕人！原子是不可分割，不會有『半顆原子』的啊！」道耳頓很堅持自己的理論。他甚至質疑給呂薩克的實驗數據不可靠。但事實上，給呂薩克雖然年輕，氣體實驗的技術卻可能完勝道耳頓。

　　就這樣，年輕科學家和老前輩僵持不下，彼此間的矛盾惹得江湖人盡皆知。但還好，人盡皆知不是壞事；在科學的領域中，總會有高人適時出現，用更高明的見解或更高超的實驗技巧，去化解兩派科學家的爭端。這位高人在哪兒？讓我們繼續看下去。

　　給呂薩克的假說，鐵證如山，有實際的實驗結果做為證明；而道耳頓「不會有半顆原子存在」的反駁，聽起來也不是沒有道理。他們兩位針鋒相對，僵持不下，一時之間，科學家們也不知如何是好，無法判斷誰對、誰錯。這場爭論最後吸引了一個關鍵人物的注意，他就是遠在義大利維切利皇家學院的物理學教授亞佛加厥。

一顆變兩顆，原子變分子

阿密迪歐·亞佛加厥
1776～1856
義大利化學家、物理學家

十八世紀末，亞佛加厥生在義大利北部富裕的法律世家。不過，當時義大利早已脫離輝煌燦爛、文化鼎盛的文藝復興時期，也不再是盛極一時的神聖羅馬帝國，反而深受政治紛擾、國家分裂之苦，也大大拖累了科學領域的發展。所以化學進展跟歐洲其他國家比起來，顯得落後又緩慢，算是不受重視的邊緣地帶。

原本亞佛加厥打算繼承家業，很快拿到了法律博士學位，但在三十歲那年，他卻對物理產生興趣，一頭栽進物理的世界。

1808年，給呂薩克提出「氣體化合體積定律」，開始了他跟道耳頓之間的論戰。遠在義大利的亞佛加厥，不但注意到了這場爭論，而且還看出化解兩人爭端的方法。

　　首先，他覺得道耳頓的原子論沒有錯，只要修改一下，在「原子」的層次之上，再增加一個「分子」的層次：

2 個氫原子 ＝ 1 個氫分子　　　　2 個氯原子 ＝ 1 個氯分子

這樣一來，原本「半顆原子」的問題就會消除。

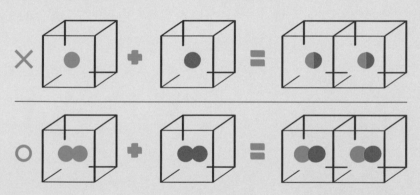

氫分子＋氯分子＝氯化氫（1 個氫原子＋1 個氯原子）

　　至於給呂薩克，亞佛加厥也覺得他沒有錯，只要把他原來的結論稍微修改：

　　✗「同溫同壓下，相同體積的不同氣體中，所含的~~原子數~~相同。」

　　○「同溫同壓下，相同體積的不同氣體中，所含的**分子數**相同。」

　　這樣一來，給呂薩克和道耳頓之間的癥結就可以解開。這也就是我們現今在課本上學到的「**亞佛加厥定律**」。

寂寞的真理先行者

但是這個世界常是這樣：當有人率先說出真理時，大部分的人們都還聽不進去，亞佛加厥就面臨到這樣的困境。

1811年，亞佛加厥在《物理雜誌》上，公開了他「分子說」的想法，卻引來了不信任的議論：「什麼分子啊，聽都沒聽過！」「這個義大利來的亞佛加厥是哪位？」「義大利的科學研究一向不怎麼樣，這個假說可靠嗎？」

雪上加霜的是，他的理論更受到當時最權威的電化學家貝吉里斯（Jöns Jacob Berzelius）的激烈反對。因為在那個時代，科學界正流行貝吉里斯提出的「電化二元論」，而「分子說」根本不符合「電化二元論」的主流思想。

糟糕，我的電化二元論是錯的？！

永斯・雅各布・貝吉里斯
1779～1848
瑞典化學家

電化二元論認為，原子如果要結合在一起，應該要一顆帶「正電」、一顆帶「負電」，才有可能結合。但亞佛加厥提出的「氫分子」、「氯分子」，卻沒有分別帶著正電和負電的兩顆原子，跟電化二元論的觀點抵觸，所以很難被大眾接受。

雖然道耳頓的「原子說」也認為「原子可以互相結合，形成複雜原子」，但道耳頓提出的「複雜原子」概念，也必須是「一正、一負」，而不是像亞佛加厥提出來的那些「正正」或「負負」的怪怪分子。所以，道耳頓聽到「分子說」時，曾不高興的反駁：

道耳頓

氫氣怎麼可能是
兩個氫原子的組合呢？
兩個同樣電性的原子
會排斥，你的假說有問題！

亞佛加厥

同樣電性的原子
真的可以組合，
您聽我說……

如果是你，沒名氣、又到處被打槍，應該會非常喪氣吧！會不會就此開始自我懷疑、回家舔傷口過日子呢？我們不知道當時的亞佛加厥心裡怎麼想，不過，分子說真的就此靜靜的被晾在一邊……好久、好久、好久……

時光無情的流轉，道耳頓過世了、貝吉里斯過世了、給呂薩克過世了……最後連亞佛加厥也過世了。直到五十年後，塵封多年的分子說才被年輕的坎尼乍若重新提出，終於在卡爾斯魯厄會議上大放光彩。

沈睡的真理會醒來

看到這裡，你可能會為亞佛加厥叫屈，為什麼他還活著時沒有人相信他的理論，直到死後人們才願意面對真相呢？

有句話說：「裝睡的人叫不醒」。現在再來看這段歷史會發現，其實人們並不是故意「裝睡」，而是當我們對真相根本不瞭解時，只能選擇「可以解釋比較多現象」的說法。而電化二元論就是這樣，所以多數人會選擇用它來解釋大自然的現象，至於與它不相容的分子說，自然受到排斥。

感謝坎尼乍若，讓分子說獲得重生，才把擋在科學前面五十多年的原子說巨石，鑽出一條全新的通道。而就在亞佛加厥發表分子說的一百年後，科學家也以實驗證明了：**相同元素的原子，可以用「雙原子」甚至「多原子」分子的型式存在。**

所以我們應該時時提醒自己：只是「相信」一個理論是不夠的；在相信之餘，更要重視用實驗去檢驗，這才是真正的科學態度，也才是科學最可貴的價值所在。

快問快答

1 國中化學教到原子與分子時，會提到「莫耳」（mol 或 mole）這個單位。一莫耳的原子或分子數目，大約是六千億兆（$6×10^{23}$）個。「$6×10^{23}$」這個數字又被稱為「亞佛加厥數」，這是因為它是由亞佛加厥發明的嗎？

不只是原子、分子，其他像離子、電子等粒子，也都可以用莫耳來計量。不過，這個看起來很麻煩厲害的「亞佛加厥數」，並不是亞佛加厥制定的，在亞佛加厥的年代根本還沒有「莫耳」的概念。莫耳的觀念是直到1896年，才由德國物理化學家奧士華（Friedrich Wilhelm Ostwald，1853～1932）提出，而莫耳「mole」這個字則來自拉丁文「moles」，意思是「一團」或「一堆」（另有一說，是由德文的「Molekül」，意即「分子」一詞而來）。

而你也別再嫌「$6×10^{23}$」這個數字太難背了。事實上，科學家經過精密的實驗與計算，實際測出的亞佛加厥數應該是 $6.02214078×10^{23}±0.00000018×10^{23}$！所以「$6×10^{23}$」已是被簡化的數字了！

或者你也可以仿效美國、加拿大或其他幾個國家的作法，把每年的10月23日訂為「莫耳日」，在當天上午的6:02到下午6:02間，來場「化學歡樂趴」，這樣應該就能幫助你牢牢記住這個數字了吧！

2 常聽到媒體或網路報導「分子料理」或「分子美食」，跟亞佛加厥提出的分子說有什麼關係呢？

在以往，科學是科學，料理是料理，科學和料理感覺上是兩個距離遙遠的領域。但嚴格講起來，製作食物的過程就是一連串的物理化學反應，所以，法國的物理化學家提斯（Hervé This，1955－）和匈牙利的物理學家庫提（Nicholas Kurti，1908～1998），在1988年共同創造了新名詞──**「分子與物理美食學」**（Molecular gastronomy），試著要從化學分子和物理學的角度去探討美食背後的科學。後來，這個名詞被簡化為**「分子美食學」**，並成為食品科學下的一個分支。

但究竟什麼是分子料理或分子美食？其實沒有很嚴格的定義；但有一類的分子料理，是透過特殊的物理或化學變化，打散食材的味道、外觀、甚至分子的結構，然後重新「組合」成各種顛覆傳統的菜肴，例如用蕃茄汁加上海藻酸鈉做出很像蛋黃的「蕃茄晶球」，或是用啤酒、水果做成泡沫狀的糕點等等。

哇～分子料理，看起來都好好吃喔！

3 那這種看起來「很科學」的分子料理，到底好不好吃呢？

每個人對「好吃」的定義不同，所以很難直接斷定分子料理美不美味。但有一類的「分子食物」，是直接用檸檬酸、麥芽糖、澱粉、蛋白質、葡萄糖等可以食用的化學分子，重新組合、創造出新的食材，所以又被人們稱為「人造美食」或「未來食物」。

可以確定的是，如果不是亞佛加厥提出分子理論，現在我們大概就吃不到分子料理或分子美食，當然也不可能討論它們究竟好不好吃了。

學好化學，你也能做出好吃的分子美食喔！

我看我還是負責吃就好了…

LIS影音頻道 ▶

【自然系列—化學 | 物質探索06】分子概念的出現—傷心酒吧的分子科學家

道耳頓的「原子説」成功解釋了許多化學定律跟實驗結果。然而，這強悍的學説卻有一個致命的弱點！最後讓曾被他趕出家門的亞佛加厥用「分子説」給解決了！來看看這個跟原子説差一個字的分子説，藏有什麼驚人的能耐吧！

第 14 課

打開有機化學之門

烏勒

古代人類的生活很「天然」。天然是什麼意思呢？就是人類的食物、醫藥或其他生活用品，大部分都是直接、間接來自大自然的動物或植物。那麼，既然化學的進展已經來到十九世紀，關於「生命體」的化學研究，又發展的怎麼樣呢？

答案是……呃，不怎麼樣。

原因可能要怪「生命」特別複雜吧！任何動物或植物都由極多種成分組成，人類想要釐清、分析、判斷，必須要有足夠精確的技術和儀器。所以，在分析技術尚未發達的十九世紀之前，跟生物體有關的化學，充其量都只是「醫藥學」的一小部分。

如果仔細去看十九世紀前的相關著作，在「動物化學」方面，通常只會輕描淡寫的提到動物血液、唾液、尿、膽汁、頭髮、角質、膠質等基本資訊；「植物化學」也一樣，頂多記錄樟腦、糖、樹脂等植物本身的特色，感覺有點像中國著名醫學家李時珍（1518～1593）著作的《本草綱目》裡，所記載的藥材來源或藥性。

這明明就是醫書，不像化學書呀！

但以李時珍所在的十六世紀來看，這已經是很高明的「植物化學」研究了。

但這些動植物的化學成分是什麼？具有什麼特別的性質？基本是「零討論」，被冠上「化學」之名，其實還算有點勉強。

有機化學來報到

不過沒關係，十九世紀來了，「有機化學」也來了！

打開課本我們知道，「有機」和「無機」的現代分類是：**有機化學**研究的是**含有「碳」和「氫」的化合物**；**無機化學**研究的則是**不含「碳」、「氫」的化合物**。但這種分類方法，你是不是覺得哪裡怪怪的？

怎麼這麼快
又Que我？

貝吉里斯

電化二元論

二元論在前章被提到
是錯誤的，為何還
一直Que貝吉里斯？

沒辦法，貝吉里斯是十九世
紀最有影響力的化學家之一，
才會一直有戲……

其實最早以前的分類不是這樣的。

歷史上，最早確切提出要把化學分成「有機化學」和「無機化學」的人，是上一課我們提到的，提出「電化二元論」的大化學家貝吉里斯。1806年，貝吉里斯公開提議把「生物活動過程中所產生的化合物」，稱為「有機化合物」。因為當時人們發現，只要是從生物身上分離出來的物質，幾乎都含有碳，所以也都能燃燒。但是在實驗室裡無論運用什麼方法，都無法模仿大自然製造出「有機化合物」來。例如，人類能從人尿或牛尿裡「分離」出尿素，但卻無法「製造」或「合成」尿素。

貝吉里斯認為，那是因為生物體才具有真正的「生命力」（或稱為「活力」）。生命力雖然看不見、摸不著，但碳能夠組合成各式各樣的「有機物」，就是因為「生命力」。相反的，化學家在實驗室裡使用的藥品或器材都是沒有生命的，不含「生命力」，當然做不出「有機物」，只能合成「無機物」。

貝吉里斯丟出的「生命力學說」（或稱為「活力論」、「生機論」），試圖解釋人類遲遲無法製造有機物的現象。但是反而給有機物質蒙上一層看不見、摸不著的神奇力量，感覺好像走了回頭路，重新走回煉金術的神祕時代。

好吧，沒關係，反正走回頭路也不是什麼新鮮事，我們人類文明的發展從來都不是直線抵達，而是迂迴前進，有時候冷不防還會踩大煞車或來個大轉彎。至於「生命力學說」到底對不對？接下來，就看何方神聖先找到「生命力」，或是證明「生命力」根本不存在了。

氰酸戰爭裡的小插曲

弗里德里希·烏勒
1800～1882
德國化學家

1822年，人在德國海德堡大學的烏勒（Friedrich Wöhler），是一位專門研究無機化學「氰酸」的年輕學者。這時的他才二十二歲，是一個前途似錦的青年優秀科學家，已經發表過好幾篇研究氰酸組成成分的論文。但是，就在烏勒發表第三篇論文時，他的指導教授交待他：

「你去認識一下這位名叫李比希（Justus Freiherr von Liebig）的學者，他最近發表的一篇論文，我想你會非常感興趣。」

原來，當時二十歲的李比希也剛發表了一篇論文——《論雷酸的組成》。論文中他測定了組成「雷酸」的元素，以及各種元素的比例，但重點是，這雷酸跟烏勒的氰酸有什麼相干？教授為何大驚小怪？原來——李比希研究出來的雷酸成分，跟烏勒的氰酸幾乎一模一樣！

尤斯圖斯‧馮‧李比希

1803～1873

德國化學家

「雷酸是一種極易爆炸的物質。但氰酸不會爆炸，而且有毒……兩種東西差這麼多，怎麼可能會一樣？」烏勒研讀了李比希的文章後，感到非常納悶。

在當時，化學家只能測出物質裡的元素比例，還無法知道各種元素間是如何排列。為了解開心中的疑惑，年輕的烏勒向當時最權威的化學家前輩——貝吉里斯提出疑問。

剛開始，就連貝吉里斯也想，說不定只是他們其中一個的實驗過程出了問題。但仔細探討以後卻發現，成分相同的不單單只有「雷酸」和「氰酸」，就連它們的鹽類——「雷酸銀」和「氰酸銀」的組成元素和比例也一樣！

大家一頭霧水，完全無法解釋兩種截然不同的物質，怎麼會有一模一樣的成分呢？接下來，或許是工作忙碌或路程遙遠，烏勒和李比希雖然都在德國，但卻始終沒有見面，只透過論文和信件互相討論與爭辯。幾年過去了，這個怪異現象還是遲遲沒有答案。烏勒能做的，只有更徹底的研究氰酸，看看能不能從其他方面找到破解謎團的蛛絲馬跡。

1824年的某一天，埋頭研究氰酸的烏勒，打算用「氰酸」加上「氨水」來製造「氰酸銨」。一般來說，按照烏勒以往的經驗，只要把「氰

酸」倒入「氨水」，然後讓水分蒸乾，氰酸銨的晶體就會慢慢出現。

可是今天的晶體卻很奇怪……

「為什麼蒸發皿中的結晶是無色針狀的呢？這不是氰酸銨吧？我今天的實驗有哪裡做錯嗎？」烏勒有點不敢相信。

「用氫氧化鉀檢查一下好了。」烏勒把氫氧化鉀加入晶體中。

照理説，如果真的是氰酸銨，加入氫氧化鉀再加熱以後，就會產生氨氣。可是，這個來路不明的晶體，卻一點反應都沒有。「到底是什麼物質呢？」烏勒搔破頭也想不出來。

不過，前方還有太多研究等著他去進行，烏勒不想改變計畫，只好暫時把難題擺在一邊，沒有馬上追究問題的答案。

直到四年以後，烏勒又再一次「不小心」的製造出這種怪異的晶體，這回他可就沒有輕易放過，當他仔仔細細、徹頭徹尾的研究一番以後，有了驚天動地的大發現——這個結晶原來根本不是氰酸銨！

「它……它它……竟然是『尿素』！」烏勒大感驚奇。

尿素有什麼好驚奇的呢？早在半世紀以前，法國科學家盧埃爾（Hilaire Marin Rouelle，1718～1779），就從人的尿液中找到尿素了。但是烏勒的實驗不一樣，他的意外發現，已經直接挑戰到當代最權威的化學家——貝吉里斯的理論。

在實驗室裡成功合成尿素的烏勒，馬上寫信給貝吉里斯，報告自己的重大發現。他在信中説道：

「老師，您曾説——在有機物的領域中，元素之間存在著特殊的規律。有機物與無機物不同，是生命過程中的產物，它們是受到奇妙的『生命力』作用才會產生。可是『生命力』到底是什麼呢？」

以往，尿素都是從人或動物的尿液產生再分離出來的。按照貝吉里斯的生命力假說，尿素需要有生命力才能製造，不可能在實驗室裡用沒有生命力的藥品製造出來。但是，為了反駁馬勒，他卻辯解道：「尿素只是動物的排泄物，嚴格説來不算是有機物，只是介於『有機』與『無機』之間模糊地帶的模糊物質。」

貝吉里斯不想放棄自己的「生命力學説」，還在回信中挖苦烏勒：

你如果在實驗室可以合成有機物，那可不可造出一個小孩來看看？

這......太難了吧！

貝吉里斯　　　　　　　　　　　　　　　**烏勒**

就這樣，烏勒的報告被老師打槍了。但是真正的真理，是經得起時間考驗的。在烏勒合成尿素的十三年後，也就是1845年，人類成功合成出「醋酸」，接著像是「酒石酸」、「檸檬酸」……許多有機物都陸續被科學家們合成出來，甚至在1854年，人類還成功的用甘油與脂肪酸直接合成出動物身上的油脂。這下子，生命力學説也不得不徹底的宣告失敗。

雖然身為老師的貝吉里斯，生前仍舊堅持自己的「生命力學説」是對的。但是，他仍舊在寫給烏勒的信件中，衷心的讚賞烏勒輝煌的研究成果：

「誰在合成尿素的工作中奠下基石，誰就有機會登向巔峰的道路。的確，博士先生（指烏勒），你正向永垂不朽的聲譽邁進。」

貝吉里斯的這番話正確無誤。烏勒身為世界上第一個人工合成尿素、打破生命力學説的科學家，果然在人類化學史的記錄裡，留下永垂不朽的聲譽。

終於有人
為我說話了！

貝吉里斯

兩大科學家你來我往的交鋒

　　說到這兒，大家可別以為貝吉里斯提出了錯誤的「電化二元論」和「生命力假說」，就覺得他是個失敗的化學家。事實上剛好相反，貝吉里斯在他那個年代還有很多重量級的研究成果，例如他發現了新元素，成功測出大部分元素的原子量，還提出許多新的化學用語。其中**「同分異構物」**這個名詞跟烏勒有關，我們接著就來講講。

　　剛剛不是提到，烏勒和李比希一直通信在爭論「氰酸」與「雷酸」的事嗎？同樣就在1828年，烏勒發現尿素之後，回到家鄉度假。就在他回去拜訪過去的恩師時，竟然和李比希不期而遇！當他們知道眼前這位仁兄，就是爭吵多年卻從未謀面的「筆友」時，馬上展開「氰酸」與「雷酸」的對話交鋒，但吵了半天仍然沒有結果，最後的答案還是「雙方都沒錯」。他們怎麼都想不通：「為什麼兩種物質會有一模一樣的組成呢？」

你的實驗
會不會做錯了？

才沒有咧，
錯的是你……

好想跳進他們的
時代勸架喔！

烏勒　　　　**李比希**

　　這個問題直到1830年，才終於迎來結果。那年，貝吉里斯提出一個相當新穎的概念——**「同分異構物」**，顧名思義就是「同」樣的成「分」但具有「異」樣結「構」的物質。簡單講，就是**「組成元素相同，但排列順序不同」**的物質！這個概念不就是烏勒的「氰酸」與李比希的「雷酸」所

CH
14

需要的答案嗎？！原來，組成的成分一樣，但是排列順序不一樣，就可以形成不同的物質呀！貝吉里斯就像公道伯一樣，裁決了李比希與烏勒的爭端，而這項發現也使化學世界又往前跨開了好大一步。

有趣的是，俗話說「不打不相識」。烏勒與李比希吵來吵去，早就吵出相知的友誼。他們兩人因為長期的交流，逐漸建立了互信的夥伴關係，也影響了彼此研究方向。如果沒有這次的相遇，這對化學史上的「有機搭檔」，可能就不會出現，而有機化學這門學問的發展，可能還要往後推遲一段很長很長的時間呢！

快問快答

1 是不是所有含有「碳」的化合物，都是有機物呢？會有例外嗎？

「含有碳的化合物都是有機物」和「有機化合物都含有碳」，這兩句話看起來很像，但意思其實不太一樣。

事實上，**「有機化合物都含有碳」**比較正確，因為一氧化碳、二氧化碳、氰化物、碳的氧化物和碳酸鹽類⋯⋯都含有碳原子，但它們是無機化合物，不是有機化合物。

2 烏勒的「氰酸」與李比希的「雷酸」是「同分異構物」，同分異構物是什麼？可以用更簡單的方法解釋給我聽嗎？

那用「積木」來解釋好了。如果你用一組積木拼出一輛車，再拆掉這輛車，用同一組積木拼出一隻小狗，這輛車和這隻小狗的關係就類似「同分異構物」，因為構成它們的積木一樣，只是排列的方式不一樣！

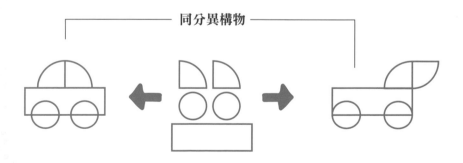

3 蔬菜的成分像是纖維素（$(C_6H_{10}O_5)_n$）、醣類（$C_m(H_2O)_n$）等，都是「有機化合物」，這是為什麼市面上很多蔬菜，都強調自己是「有機蔬菜」的原因嗎？

有機蔬菜的「有機」是在強調它的來源，講究的是以天然的、無化學污染或人工合成方式種植出來的蔬菜；而不是在說它的成分是不是「有機化合物」。這個「有機」跟那個「有機」字面上雖然一樣，但涵義卻有所不同。

原來有機蔬菜的「有機」，不是「有機化合物」的意思。

有機

管它有機還無機，只要是青菜，嘿嘿，我都不怎麼愛吃……

LIS影音頻道 ▶

【自然系列—化學｜有機化學】有機化學—維勒的跨界大發現（上）
有機物、無機物，差別只在有沒有生命力而已嗎？還是……差別只是會不會咕咕叫的咕咕雞呢？

【自然系列—化學｜有機化學】有機化學—維勒的跨界大發現（下）
在貝吉里斯（貝才利烏斯）的用心指導下，烏勒（維勒）的氰酸研究發表會順利結束了。李比希突如其來的建議，讓他嘗試不同的研究，接下來會發生哪些破天荒的劇情呢？

第 15 課

尋找化學反應平衡

古德伯格 & 瓦格

不同的物質產生化學反應時，會出現冒泡、變色、發光、發熱、凝固等各種讓人眼花撩亂的現象，就像是變魔術一樣，十分神奇。

只是，這些化學反應為什麼會發生？在發生的過程中，又產生了什麼內部變化？如果只用「眼睛」觀察，很難得到什麼明確的答案，像煉金術觀察了好幾千年，最後還是被講求實證的科學給淘汰了。

做實驗不能只用眼睛看，
要詳實的記錄各項數據和變化啦……

化學真的有親和力嗎？

不過，就算理論後來有可能被淘汰，科學家還是會前仆後繼、持續不斷的提出新的觀念。這是因為對於眼前的現象，人類需要一個解釋，才有辦法說服自己安身立命的生存下來。這是人類與其他動物不同之處，也是人之所以會發展出科學，而貓不會、狗不會，大象、猩猩也不會的原因。

在過去，化學家們認為不同物質會發生化學反應，是因為彼此具有「**化學親和力**」。簡單說，「化學親和力」就是物質間的「吸引力」，而每種物質彼此間都有不同的吸引程度，就像你很喜歡隔壁班的小美，但是卻討厭自己班上的阿花那樣，物質也會有喜歡或不喜歡跟誰結合的情況。

物質A

真抱歉，
我跟你之間沒有
化學親和力。

物質B　物質C

但你也不是不知道，有些情侶會一見鍾情，火速熱戀，但沒多久就草草分手；有些情侶卻小火慢熱，花了很久時間才在一起，步入禮堂後相守一輩子。這兩種狀況，你覺得哪一個的「吸引力」比較強呢？是比較快就在一起的？還是在一起比較久的？更何況還有些人是「落花有意、流水無情」，一邊有吸引力，一邊卻很排斥，那又怎麼算？

「化學親和力」的問題也是這樣，只用「親和力」來解釋物質喜歡或不喜歡結合，實在太籠統了。親和力強代表的是「反應速度快」還是「反應程度大」？一直含糊不清、沒有明確定義。所以，當化學發展慢慢成熟以後，有些科學家就開始試著去釐清，到底是哪些條件在影響化學反應？化學反應除了我們看到的現象外，還隱藏著什麼細微的祕密？

揭開化學反應祕密的第一步

耶！
又輪到我們出場了！

柏瑟列　　拿破崙

來拍個紀念自拍照吧！

真要說揭開「化學反應」祕密的第一人，其實就是我們上冊第八課介紹的化學家——柏瑟列（Claude Louis Berthollet 1748～1822）。各位還記得柏瑟列跟著拿破崙的大軍在埃及發現了什麼嗎？

讓我們複習一下。他在鹽湖邊發現了「**蘇打+氯化鈣 ⇌ 灰石+鹽巴**」的「**可逆反應**」（請見上冊第八課）。可逆反應的出現，讓原本以為化學反應只要一發生就不會回頭的科學家們開始了解到——原來**化學反應**是可以「**逆轉**」的。

除此之外，柏瑟列還進一步發現，會不會出現可逆反應，與物質的「**濃度**」有關（此處的濃度在當時稱為「化學質量」或「有效質量」，但為了避免造成混亂，以下我們還是用「濃度」表示）。

這可是一個很大的突破喔！因為柏瑟列的這項發現，把化學反應的原因，從「化學親和力」這個聽起來含糊不清的名詞，轉移到另一個可以測量又能實際操作的明確指標——「濃度」。從此科學家們知道，原來要讓化學反應發生，必須考慮「濃度」問題，也因為這項發現，科學界開始去注意還有哪些因素會影響化學反應。

柏瑟列開的這一槍，對化學發展產生很重要的影響。

接力尋找化學平衡

不過，就像我們第八課提到的，柏瑟列的發現可能因為太前衛了，所以在當時並沒有受到太多的重視。但是，就在他發表研究成果的五十年後，有機化學反應的研究開始增加，由於有機反應很多都是可逆反應，所以愈來愈多的可逆反應也因此被科學家們注意到。首先是1850年，德國化學家威廉米（Ludwig Ferdinand Wilhelmy ，1812～1864）研究蔗糖水解的反應時，發現了**反應速度會受到溫度、濃度和酸鹼度的影響**。

他的實驗幾乎是認同了柏瑟列的理論——**濃度會影響反應速率**。而且他還更進一步，用數學式把實驗的結果表達出來；只可惜他的發現也跟柏瑟列一樣無人理會。

只能說在很多時候，科學的新發現要被大家接受或注意到，需要機緣和時間。如果說柏瑟列算是化學反應研究的第一棒、威廉米是第二棒，那麼這場接力賽要到第幾棒，才會開花結果，受到大眾的重視呢？

你跟我一樣慘，都沒有人理會我們的發現！

柏瑟列

威廉米

數學、化學 雙俠列傳

瓦格
Peter Waage
1833～1900
挪威化學家

古德柏格
Cato Maximilian Guldberg
1836～1902
挪威數學家

　　許多國中生學化學，最頭痛的莫過於需要運用數學來計算濃度與化學平衡等，如果數學不太靈光，就會影響到這部分的學習。但數學到底是什麼時候加入化學領域的呢？事實上，在十九世紀之前，化學裡應用到的計算都非常簡單。

　　還記得嗎？化學是從拉瓦節的時代，才開始注重測量和定量的。在拉瓦節之前，連測量都沒做，所以根本沒有什麼東西好計算的。當拉瓦節開始提倡定量實驗的重要性之後，才出現所謂的**「化學計量學」**。

起初，化學家只用到簡單的數學比例，至於較深入的數學概念，他們大多不熟悉，也不會用。不少化學家甚至這樣認為──數學是數學，化學是化學，化學已經夠複雜了，如果還用數學去考慮化學，可能使問題更模糊，所以最好不要使用、也不要依賴數學。

不過，少了數學公式描述的化學，稱得上「真正的科學」嗎？有人認為稱不上。因為如果缺少了用數學公式的表達，化學就無法像物理那樣，成為一門精確、漂亮而又簡單明瞭的科學。

還好，在十九世紀中期以後，這種局面被打破了。化學家開始注意到化學平衡反應中的濃度、溫度、速率……彼此間都具有數學關係；甚至有數學家也開始加入化學研究的行列，使化學添上數學的翅膀，飛得更高、看得更遠。

其中，遠在挪威的一對科學家──古德柏格和瓦格，就是一對「數學＋化學」的最佳拍檔。

古德柏格和瓦格是大學時期的死黨，一起上課、一起K書，還共同創立一個討論「物理化學」的小型俱樂部，感情真夠麻吉！不只這樣，後

來古德柏格還介紹自己老婆的妹妹給瓦格。所以，他們不只是死黨、工作搭檔，最後還變成親戚了呢！

咳咳，話題扯遠了。話說，他們兩人有興趣的「物理化學」，是利用物理定律來解釋化學反應如何形成各種化合物的一門學問。當時有些科學家認為，**物理化學**可能可以解開**「化學親和力」**、**「化學反應方向」**與**「化學反應速度」**等問題。

年輕的古德柏格與瓦格，對這個領域很感興趣。所以，當他們讀到法國科學家貝特羅（Pieltte Engene Marcellin Berthelot）和助手一起進行的「酯化實驗」時，目光立刻受到吸引。

所謂的「酯化反應」是指：將「酸」加上「醇」，會生成「酯」加上「水」的有機反應。貝特羅發現：這個反應不管是從左邊或右邊開始進行，反應到最後，反應物或生成物的濃度，竟然會維持同一個固定比例！

我發現酯化反應的正反應和逆反應，最後會達到平衡狀態！

$$醋酸 + 乙醇 \rightleftharpoons 乙酸乙酯 + 水$$

皮埃爾・歐仁・馬賽蘭・貝特羅

1827～1907

法國化學家

酯化反應的正、逆反應平衡狀態是持續發生的，不會因為看起來好像反應平衡就停止了喔！

貝特羅所發現的酯化反應動態平衡現象，讓古德柏格和瓦格眼睛為之一亮，決定一起合作，同時導入數學與化學的專業，來解開反應物和生成物在可逆反應中的微妙祕密。他們兩個在受到貝特羅啟發後的短短一年內，就合力做了三百組相關實驗。

　　他們發現在每個**可逆反應**的過程中，總有**兩個方向相反的力**同時作用：**一個推動反應物合成生成物，另一個則幫助生成物還原成原來的反應物。**當這兩個力相等時，化學反應便處於平衡狀態；但是平衡狀態並不是「靜止不動」的，而是正反應和逆反應同時在進行，只是因為速率相等，所以彼此的效果互相抵消，才會讓反應看起來停了下來。

　　因此，他們歸納出兩個重要結論：

1. 濃度會影響反應速率。且反應速率與反應物濃度的乘積成正比。
2. 質量相同時，水愈多（即濃度愈低），反應作用力愈弱（也就是反應愈慢。）

他們還整理出一條數學關係式——

$$\text{反應的作用力（或反應速率）} = K \times [A] \times [B]$$

　　其中K就代表親和力係數，[A]是反應物A的濃度，[B]是反應物B的濃度，這就是初期的**「質量作用定律」**。根據這個定律，可以確定化學反應中各反應物和生成物的濃度之間的關係，這個定律的出現，在化學平衡的研究中具有非常重要的意義。

啟發「化學動力學」

1864年，古德柏格和瓦格向挪威科學院提出他們的報告，但是，就像第一棒柏瑟列、第二棒威廉米、第三棒貝特羅一樣，他們的研究並沒有得到太多迴響。

直到1877年，德國物理化學家奧士華（Friedrich Wilhelm Ostwald）成功應用這個定律解釋自己的實驗後，科學界才開始重視。他們提出來的這個算式，後來還慢慢發展成一門稱為**「化學動力學」**的學問。

「化學動力學」是「物理化學」的一個分支，集合物理、化學與數學的概念，專門研究化學反應的速率與反應的機轉。看起來，古德柏格與瓦格這兩位數學家與化學家的「雙劍合璧」，真的是效果超群！

我們先前不是說，科學早期是不分家的嗎？或許「合久必分，分久必合」這句話，也能用在科學研究上。進入十九世紀之後，物理學家和化學家、數學家開始關心彼此的研究發展，合作的機會也漸漸增加。之後，我們還會看到──物理化學、化學物理、數學物理、化學數學、生物數學等各種交叉學科的出現，這代表科學又進步到一個新的階段。

當化學家也開始用物理和數學的方法研究物質，化學的進展將有非常突破性的飛躍，接下來的新世界，我們很快就能看到了！

快問快答

1 除了「濃度」會影響化學反應的速率，還有沒有其他因素會影響反應速度呢？

當然有囉！像**溫度就會影響反應速度**，例如把食物冰進冰箱裡，會因為溫度降低，而讓食物變質的速度變慢；用溫水洗衣服，則能加快衣服污漬溶解在清潔劑裡的速度。另外，例如物質的「**表面積大小**」，也會影響反應速度，例如把冰糖敲碎再加入水中，溶解速度會比一大塊的冰糖快；烤肉時，把塊狀的肉塊切成薄片也會比較快熟。

另外，有沒有「**催化劑**」也會大大的影響反應速率。所謂的「催化劑」，就是能加快反應，但是本身卻不參與反應的物質。比方說，我們的口水含有「**澱粉酶**」，吃飯時如果讓口水充分的和米飯均勻混合，就能快速的把飯中的澱粉分解成葡萄糖，嚐到甜甜的滋味。

2 以前的化學家以為，物質會結合是因為有「化學親和力」。如果不是「化學親和力」，那是什麼使化學物質結合在一起呢？

其實，物質間具有「親和力」這個概念，至少在十三世紀就已經出現了，只是當時受限於實驗技術以及對原子內部的不瞭解，一直停留在非常模糊又籠統不清的狀態。

到了現在，我們已經知道使原子或分子結合的是**「化學鍵」**。而化學鍵的形成，基本上來自於不同粒子之間的**「電磁力」**，也就是正電荷與負電荷之間的吸引力。

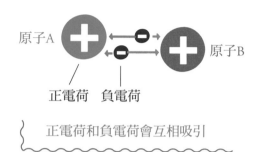

正電荷和負電荷會互相吸引

最後就會產生一個化學鍵

LIS影音頻道 ▶

【自然系列—化學 | 化學反應02】化學平衡—化學反應的神奇比例（上）

1798年後，一位法國科學家提出的酯化反應中發現，無論怎麼反應，反應物和生成物的比例都是固定的。這個發現多年後引起了瓦格和古德柏格的注意⋯⋯

【自然系列—化學 | 化學反應02】化學平衡—化學反應的神奇比例（下）

古德柏格和瓦格反覆驗證，想知道所有可逆反應在溫度不變的情況下，原料和產物反應到最後，是否都會呈現特殊的比例⋯⋯

第 16 課

搞死人的元素週期表
門得列夫

電解真是太有趣了！

戴維

就是這傢伙讓元素越找越多……

話說，光陰的巨輪轉啊轉，時間已經來到十九世紀。在戴維發現電解方法的加持之下，人們找到的化學元素，已經從十八世紀拉瓦節提出的三十幾種（其中還有些假元素咧，如下表），在五十年內快速的翻上一倍，累積到了六十幾種。

這是個元素大發現的時代，化學界上上下下充滿希望與幹勁，除了像尋寶一樣繼續尋找新的元素之外，還有更多人想在已經找到的元素間，整理出共同的規則與規律。什麼？你問他們為什麼要這樣？

沒辦法，人類就是有這種天性——喜歡觀察眼前的事物，整理、分析，然後歸納出其中的邏輯，再加以分門別類。這是人類發展出來的科學方法，也是人們習慣且喜歡的生活方式，要不然生物學就不會有「界、門、綱、目、科、屬、種」等分類，學校也不會有社會、人文、歷史、自然、地理等分科了。

發現元素的特性

言歸正傳。現在既然冒出了六十幾種元素，許多科學家就熱切的檢測各種元素的性質，希望能發現隱藏的祕密關連，好把它們分門別類，甚至按照順序排好隊，做成一張簡明的圖表！

歷史上的第一張化學元素表

拉瓦節曾把元素分成四大類。注意看：有些元素現在的看來根本就不是元素，而是合成物！只是當時的技術還無法將它們分解，才被誤以為是元素。由於這種分類方式太過粗淺，後人很希望找到更準確的分類方法。

氣體元素	（光）、（熱）、氧、氫、氮
非金屬元素	（生石灰）、（苦土）、（重土）、（礬土）、（矽土）
金屬元素	銻、銀、砷、鉍、鈷、銅、錫、鐵、錳、汞、鉬、鎳、金、鉑、鉛、鎢、鋅
土質元素	硫、磷、碳、（鹽酸根）、（氟酸根）、（硼酸根）

CH 16

果然，漸漸的，有些科學家就發現有些元素的確擁有類似的性質。像是德國科學家約翰‧德貝萊納（Johann Wolfgang Döbereiner），就找到數組、每三個為一組的化學元素所組成的「三元素組」，如下圖所示：

我率先找到三元素組喔！

約翰‧德貝萊納
1780～1849
德國科學家

後人把這個發現叫做「三藕律」喔！

三元素組

三元素組同一組的三個成員間，常擁有一些共同的特性，例如鋰、鈉、鉀這組都是軟而活潑的金屬；氯、溴、碘這組都很容易形成鹽類。不只如此，德貝萊納還有一個重大發現——那就是當每一個小組中的三個元素按照原子量大小排列時，把原子量最重的加最輕的除以二，都會「幾乎」等於中間那一個元素的原子量。例如，鋰的原子量是6.94，鉀的原子量是39.10，兩個相加除以二就是鈉的原子量22.99。

當時的人當然還看不見答案在哪裡，但是，科學就是這樣，既然有人開了頭，其他科學家就會朝著這個方向，繼續的、努力的、用力的挖掘下去，像是德國的化學家利奧波德‧蓋墨林（Leopold　Gmelin）和英國的約翰‧亞歷山大‧雷納‧紐蘭茲（John Alexander Reina Newlands）等科學家，都受到三元素組的啟發，挖出更多更大的真理碎片。

利奧波德‧蓋墨林
1788〜1853
德國化學家

約翰‧亞歷山大‧雷納‧紐蘭茲
1837〜1898
英國科學家

「八音律」耶！又不是在唱歌，太好笑了！

蓋墨林找到十組三元素組、三組四元素組，還有一組五元素組。

紐蘭茲發現把元素根據原子量排列後，每隔七個元素就會出現類似的性質，就像音樂的音階，稱為「元素八音律」。

　　只不過，這些發現顯得零零碎碎，沒有人能發展一套包含所有元素的理論系統。這就像每個人都各自努力，卻只拼出拼圖的一個角落，但是整幅拼圖到底長什麼樣子呢？沒有人說得出來。

　　後來，可以拼出完成拼圖的人終於出現了，他就是俄國的化學家——德米特里‧門得列夫（Dmitri Ivanovich Mendeleev）。

燈影下的
卡牌遊戲

德米特里・門得列夫
1834～1907
俄國化學家

雜亂的書桌前，油燈的光線在黑暗中映出男子的輪廓，撥亂的長髮與鬍鬚的光影恣意交錯。男子的五官陷入雙掌之中，他已經第三天沒有闔眼了。

因為他深深相信，眼前桌上散落的元素紙牌隱藏著解開一切的關鍵，他不斷的排列、重整、重整、排列……，排著排著竟然就這樣睡著

可惡，究竟要怎麼排，才能找出元素之間的規律呢？

了。他是門得列夫，始終相信元素之間有規律性，並成功製作出原始版週期表的男人。

1869年2月17日，門得列夫已經思考了三天三夜，不，或許更正確的說，他為了解開元素之間的規律，已經花了漫長的二十年光陰。他把每個元素製成一張張卡片，再將卡片排在桌上，試圖找到其中的規律，但適合的排列組合遲遲沒有出現。隔天早上，門得列夫看著一張寄來的郵件，腦海突然靈光乍現：

「在我的腦海中出現一張表，各個元素都照著定位排好。當它們清楚的出現時，我立刻記錄下來。」

他隨手拿起筆，就在郵件的空處振筆疾書。

他畫出他所知道的三元素組，從左到右照原子量大小排序，再由上而下把原子量低的放上面、原子量高的放下面，這讓門得列夫進一步聯想到以卡牌的形式排列元素——如果每個相似的元素組都屬於一種花色，然後原子量當成卡牌上的點數，63個元素就可以排出一個大概的圖形。這個圖形中有七組相似組，每一組內可用原子量大小排列，呈現一個看起來有點奇怪的表格，而這個用化學紙牌排出來的奇怪表格，就

ОПЫТЪ СИСТЕМЫ ЭЛЕМЕНТОВЪ.

ВАННОЙ НА ИХЪ АТОМНОМЪ ВѢСѢ И ХИМИЧЕСКОМЪ СХОДС

```
                    Ti = 50    Zr = 90    ? = 1
                    V = 51     Nb = 94    Ta = 1
                    Cr = 52    Mo = 96    W = 1
                    Mn = 55    Rh = 104,4 Pt = 1
                    Fe = 56    Rn = 104,4 Ir = 1
                Ni = Co = 59   Pl = 106,6 O = 1
        = 1         Cu = 63,4  Ag = 108   Hg = 2
        Be = 9,4 Mg = 24 Zn = 65,2 Cd = 112
        B = 11   Al = 27,4 ? = 68   Ur = 116  Au = 1
        C = 12   Si = 28   ? = 70   Sn = 118
        N = 14   P = 31   As = 75   Sb = 122   Bi = 2
        O = 16   S = 32   Se = 79,4 Te = 128?
        F = 19   Cl = 35,6 Br = 80   I = 127
  7 Na = 23   K = 39   Rb = 85,4 Cs = 133   Tl = 2
                Ca = 40   Sr = 87,6 Ba = 137   Pb = 2
                ? = 45   Ce = 92
                ?Er = 56 La = 94
                ?Yt = 60 Di = 95
                ?In = 75,6 Th = 118?
```

Д. Менделѣевъ

> 圖為1869年門得列夫最早提出、以俄文寫成的元
> 素週期表。這個表以「週期為行、族為列」，跟
> 現代週期表剛好相反。

是現在我們熟知的化學週期表的前身。

　　門得列夫寫出週期表的那個剎那，沒有轟轟烈烈的情節，而是靈光
乍現的神奇瞬間。

週期表中的問號

可惜的是，門得列夫一開始提出這份偉大的週期表後，並沒有受到太多的關注。為什麼呢？可能是因為——這份最原始的週期表看起來「不太對勁」吧！

原來門得列夫的週期表大致上是依照「原子量」排列的，但是其中卻有幾個元素例外，不是按原子量排，而是按「元素性質」排，像是釷（Th）的原子量是232，按理應該分在第四週期，卻被放在第三週期的底部。門得列夫認為，這些例外元素的原子量可能是量錯了，所以如果不要完全按照原子量排序，更能符合元素之間性質的關係。

可是，當時的科學家既不想「認錯」，也不喜歡「例外」。他們會認為：「除非有明確的證明，不然怎麼知道是我錯呢？」又或是「說不定等你找對了元素的規律，就不會有『例外』元素了！」

這些爭議一直持續到1875年……

在門得列夫的時代，人們只找到了六十幾種元素。所以，當門得列夫排列週期表時，如果找不到符合的元素時，他就把它空下來，打上問號，那就是下一頁表中那三個被打上問號——**原子量45、68、70**的元素。換句話說，他預測了三個未知的元素的存在，如果未來能找到這三個未知的元素，那就代表他的元素排列方法是正確的。

成功預測新元素

門得列夫認為在鋁（Al）和鈾（Ur）之間，還缺少一種原子量68的元素，他將它命名為**「類鋁」**，甚至預測它會有什麼性質。

到了1875年，法國科學家德布瓦伯德朗（Paul Émile Lecoq de Boisbaudran ，1838～1912）在礦場中的礦物採樣中發現了新元素，取名為**鎵（gallium，Ga）**。而鎵的原子量測量為69，接近門得列夫預測的

「類鋁元素」。而且它多數的性質與數據都符合門得列夫的預測，唯獨比重比預測的5.9低了一些，只有4.7。

對此，門得列夫特別寄信給布瓦伯德朗，請他以更科學、更嚴謹的方式測量鎵的真實比重。科學家敢這麼狂的應該只有門得列夫了吧！不過門得列夫可不是空口說白話、為反對而反對，經過重新測量之後，鎵的比重的確是5.9，與門得列夫預測的完全相同！

哈哈哈！118個你就已經背不起來了！

別再擴充了！

用紅圈圈起來的地方，就是門得列夫預測的三個未知元素，後來都被陸續發現，分別是鈧（Sc）、鎵（Ga）、鍺（Ge）三個元素。

不只如此，隨後幾年，門得列夫預測的另外兩個未知元素也找到了，這些元素的特性也符合他的神準預測。科學家至此不得不肯定門得列夫，也為他的元素週期表喝采！

好了，這就是你們說的——搞死人元素週期表的由來。日後，科學家陸續找到94種自然元素，並在實驗室裡合成24種人造元素，所以元素週期表愈長愈大，擴充到目前的118個元素，在未來，會不會變成1180個呢？說不定，要有心理準備喔！

1 週期表這麼複雜，需要把它們全背起來嗎？

不需要，其實週期表的直「行」與橫「列」，都代表著元素與元素之間特別的規律，找到這些規律會比較容易記得它們。

2 哇，好厲害喔！那元素間特別的規律到底是什麼呢？

同一「行」的元素會有類似的化學特性：所以它們被歸類同一「族」元素，像是第1族、第2族等，例如第8族的「氦」（He）、「氖」（Ne）、「氬」（Ar）、「氪」（Kr）、「氙」（Xe）、「氡」（Rn）等元素都非常穩定，所以才被統稱為**「惰性氣體」**或**「鈍氣」**。
同一「列」的元素原子量則會比較接近：這是因為現在我們學的週期表是用原子序（質子數量）的大小排成列，而週期表的第一列就叫做「第一周期」，以此類推。

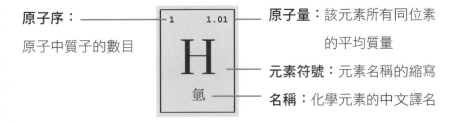

原子序： ———— 原子中質子的數目

原子量： 該元素所有同位素的平均質量

元素符號： 元素名稱的縮寫

名稱： 化學元素的中文譯名

3 聽起來週期表好像變簡單了，但我還是覺得上面的元素超級多耶！

別擔心，現代的週期表主要分成具**「規律性」的第1、2、13~18族**和比較**不具規律性的第3~12族**，通常較需要記下來是**第1、2、13~18族**的元素。

圈起來的地方，分別是第1～2族、第13～18族的元素，它們都是具規律性，較需要被記得的元素喔！

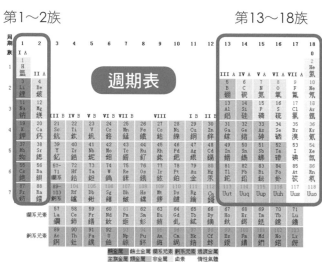

第1～2族　　　　　　　　　　　　　　　第13～18族

週期表

LIS影音頻道 ▶

【自然系列—化學｜物質探索07】週期表的出現—決鬥吧！元素王（上）

十九世紀的俄國出了一位科學家一門得列夫（門德烈夫）。某天，媽媽臨死前給了他一盒寶物，裡面竟然藏著元素間的祕密……

【自然系列—化學｜物質探索07】週期表的出現—決鬥吧！元素王（下）

門得列夫參加了卡爾斯魯厄國際化學會議後，尋覓出一些有關卡牌的蛛絲馬跡，在卡牌精靈的協助下，他究竟怎麼利用這些卡牌排出影響後世的元素週期表呢？

第 17 課

電離說（上）：原子不可再分割嗎？

阿瑞尼斯

開始這一課之前，讓我們先回顧、整理一下前幾個世紀化學快速發展的景況。

先是十七世紀。在「化學之父」波以耳出版了《懷疑派的科學家》後，科學迅速萌芽。還記得嗎？許多科學家嘗試拿掉宗教與神祕主義的色彩，用「科學實證」的方法，而非神的概念去解釋世界。這個轉變使得現代的研究方法開始成型——**運用實際的實驗結果來推論假說**（請見上冊第三課），而不是像過去只會做「符合假說」的實驗。

我們兩個奠定了化學研究的基礎喔！

十八世紀。掀起化學革命的拉瓦節鉅作——《化學基礎論》問世後，衝擊了全歐洲的科學思維。其中，注重測量的「定量實驗法」，以及幫紊亂的化學名稱梳理脈絡的《物質命名法》等內容，歸納出大量有邏輯、條理清晰的規則，提供不同國家科學家間共通的科學語言，也讓科學交流變得更加順利，更能跨國、跨界的討論與傳播（請見上冊第六、七課）。

拉瓦節

科學進展突飛猛進的十九世紀

到了十九世紀呢？在過去兩百年的累積之下，十九世紀的科學更是進入大鳴大放、突飛猛進的時代。要能突飛猛進，需要有兩個基礎，一個是「理論」，一個是「技術」。先說理論的部分——1803年，道耳頓提出了影響深遠的「原子說」，用「微觀」的、眼睛看不見的「原子」，去解釋我們觀察到的各種「巨觀」現象，使得科學家們開始能藉由原子的觀點，去思考更加微小與抽象的世界（請見下冊第十二課）。而「原子不可再分割」的概念，幾乎成為當時科學家們的最高指導原則。

在技術層面，1800年，伏打電池出現以後，化學家手上就像多了一把開山刀，披荊斬棘開發出全新的化學領域。在此之前，分解物質的方法基本上只能靠「加熱」，但是當時的加熱技術無法達到很高的溫度，收集加熱產物的方法也不成熟。電解技術的出現，則克服了以上的問題——只要

有足夠強大的電力，通電後陰陽極便會分別析出不同的元素，既有效又方便！所以，靠著電解技術，人類發現的新元素在五十年內就爆增了將近三十種。

好了，有了強大的理論，再加上全新技術，十九世紀的科學，就像是從坐巴士改成搭飛機一樣，發展速度迅速起飛！各種嶄新的現象和理論不斷出爐，而且還朝向愈來愈精細、愈來愈抽象的趨勢發展；科學家的關注點，也從原本肉眼看得到的物質，擴及到無法直接觀察的原子。接下來，終於輪到我們這堂課的主角——電解溶液與離子登場。

老師你鋪梗鋪好久……

對呀，我也覺得講得好累……

電解大師戴維的發現

簡單先幫大家複習一下「電解」在做什麼好了。首先，如果你準備一顆電池，然後將它的兩極分別接上電極，再插進溶液裡；接著，只要電池的電力夠強，你就會看到溶液開始出現變化——可能是冒泡、可能是變色、可能是變酸、可能是析出意想不到的東西……總之，陰陽兩極會產生變化，這個過程就是「電解」

原來如此～

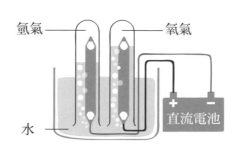

氫氣　　　　　　氧氣

水　　　　　　直流電池

就算是水，也可以被電解成氫氣和氧氣。

94

記得第十一課介紹的電解高手戴維嗎？他是十九世紀將電解玩到最高境界的科學家。他電解了熔融態的氫氧化鉀，找到新元素「鉀」（K），還用相同方式電解氫氧化鈉，找到「鈉」（Na）。接下來他陸續電解出鈣（Ca）、鍶（Sr）、鋇（Ba）、鎂（Mg）、硼（B）、矽（Si）……說他是當代的「元素王」也當之無愧。

不過在利用電解發現元素的過程中，戴維卻發現酸不一定含有「氧」，這違反了他自己的偶像大化學家拉瓦節的理論。事實證明，戴維的實驗結果才是真實的──「氧」並非酸的必要成分，「氫」才是。

超級厲害的電學大師法拉第

戴維除了推翻拉瓦節的酸鹼定義之外，還有另外一個貢獻，那就是收了電磁學大師──法拉第（Michael Faraday）作徒弟。

法拉第在被戴維發掘之前，只是一個小學畢業的釘書匠。但是他對科學充滿興趣，多次去聆聽戴維的演講，還把聽講筆記寄給戴維，讓戴維十分感動，找來這個對科學充滿熱情的孩子到實驗室工作與學習。

後來，法拉第青出於藍，慢慢成為著名的科學家，包括**「電解」**、**「陰極」**、**「陽極」**，以及**「電解質」**、**「離子」**等電解理論中最核心的關鍵名詞，都是他訂出來的。

戴維

我這輩子最重要的科學發現，就是發掘了法拉第。

謝謝老師栽培！

麥可・法拉第
1791～1867
英國物理學家、物理化學家

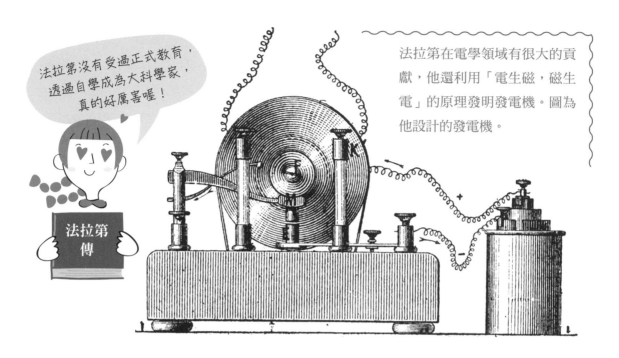

法拉第沒有受過正式教育，透過自學成為大科學家，真的好厲害喔！

法拉第在電學領域有很大的貢獻，他還利用「電生磁，磁生電」的原理發明發電機。圖為他設計的發電機。

法拉第傳

　　當時，電學大師法拉第認為：電解時陰陽極會出現新物質是因為——在通電過程中，溶在水中的「分子」，會被不同電極撕開，變成一團帶「正電」的離子團，和一團帶「負電」的離子團。接著因為「異性相吸」的原理，帶「正電」的離子團會游向「陰極」、帶「負電」的離子團會游向「陽極」，所以我們才會分別在陰極、陽極，收集到兩種不同的物質。

　　這個理論聽起來非常漂亮，一般人也很容易理解，所以在很長一段時間裡廣受歡迎，成為人們理解「電解」與「離子」的主流想法。

　　但是，再怎麼漂亮的理論還是必須通過時間的考驗。在法拉第的電解理論發表五十年後，瑞典科學家阿瑞尼斯（Svante August Arrhenius，另譯阿瑞尼烏斯），終於用巧妙的實驗設計，發現了它的重大瑕疵。

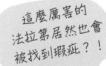

這麼厲害的法拉第居然也會被找到瑕疵？！

恐怖論文答辯會

斯凡特・阿瑞尼斯
1859～1927
瑞典科學家

1859年，阿瑞尼斯生於瑞典，他從小精明聰慧，文學、數學、物理樣樣難不倒他。十七歲考上父親的母校烏薩拉大學，兩年後快速畢業，開始攻讀物理博士學位。一開始，阿瑞尼斯的研究領域是光譜，不過他自己知道，如果要精通物理他就必須接觸更多相關的化學與數學知識，於是他選擇當時物理與化學都有重疊的電學領域。其中他最感興趣的，就是當時著名的瑞典科學家克萊夫（Per Teodor Cleve，1840～1905）所研究的「電化學」主題，但由於學校本身條件不夠好，所以阿瑞尼斯改到斯德哥爾摩大學知名的艾倫德教授（Erik Edlund，1819～1888）門下，完成他的博士論文。

由於阿瑞尼斯擁有非常優越的實驗能力，艾倫德教授很賞識他。除了平常的研究以外，阿瑞尼斯在閒暇之餘也從事很多獨立研究。

然而，就在這些反覆進行的電化學實驗中，阿瑞尼斯發現了一些奇特現象……

「怪了！」當他在稀釋溶液的過程中發現——**溶液的導電性竟然變大了！**

他覺得很納悶，這跟電學大師法拉第主張的「分子在通電時被分離成正、負離子團」的觀點發生了衝突。因為如果通電就能把分子「電」成離子的話，濃度愈濃的溶液，離子應該會愈多，也愈能導電才對！怎麼他觀察到的反而是——愈稀的溶液愈能導電呢？

「不只這樣，如果水中的『分子』是在通電過程中被分裂成『離子』，那麼電力愈大，離子應該愈多，溶液也應該變得愈能導電……」阿瑞尼斯忍不住懷疑的想：「可是，電力大小真的跟溶液的導電度有關嗎？」

這讓阿瑞尼斯好奇心大爆發，開始設計一連串的實驗，想解開「電力」、「離子濃度」與「溶液導電度」三者間的三角關係。

幾個月後，他透過多次的實驗，獲得大量的實驗數據。經過仔細的整理、計算以後，阿瑞尼斯發現實驗結果，竟然都指向一個驚人的事實：

電解質溶液的導電性跟通入的電力沒有太大關係。有些溶液甚至不用通電就能導電。換句話說，**離子不是因為通電造成的，反而是在通電前就已經存在了！**

電解理論比一比

法拉第理論	阿瑞尼斯理論
電解質溶於水中會呈現分子狀態，必須導入電力，才能使分子分裂成帶正電和帶負電的離子。	電解質溶於水中，有些呈現分子狀態，有些則自動解離成離子狀態。和有沒有導入電力沒有關係。

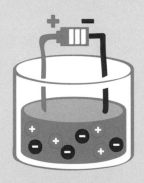

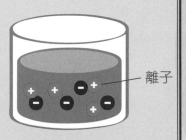

離子

後來阿瑞尼斯把這個發現，寫成了一份厚達150頁的博士論文《電解質與導電性研究》，並在1883年回到烏薩拉大學，準備向他的口試委員，也就是前面提到的化學大咖克萊夫教授報告。

阿瑞尼斯的報告是如此的完整，要實驗有實驗、要理論有理論，照理說幾乎是無懈可擊⋯⋯，不料交到教授手上以後，克萊夫的反應卻出奇的冷淡。原來，克萊夫和當時大部分的教授一樣，是法拉第電解理論堅定的支持者。

阿瑞尼斯

老師你相信我，我經過嚴謹的實驗才得到這個結果！

克萊夫教授

不可能，法拉第是大師，他不會錯……

阿瑞尼斯儘管心裡受到打擊，但並沒有因此放棄。因為在他心裡不斷的說服自己——唯有實際的實驗才能證明理論是對是錯！他的實驗結果擺在眼前，無懈可擊，他沒有錯，是法拉第的電解理論才需要修正！於是他依然向學校提出申請，在1884年五月，進行論文公開答辯。

阿瑞尼斯藉由大量沒有通電的實驗，來證明即使不通電，電解質溶入水中也能表現出離子的性質。他在論文裡對自己發現的現象提出幾點結論：

1、電解質溶入水裡以後，會分成兩種不同的狀態，一種是活性狀態（離子態），一種是非活性狀態（分子態）。

2、活性狀態會因為通電而游往相反電極的方向，也就是法拉第觀察到的正離子會游往陰極、負離子游往陽極。

3、這些活性狀態的離子不需要通電也能存在。

4、離子並不會表現其原子的特性，兩者性質不同，例如，氯是綠色，但氯離子不是。

5、當溶液稀釋時，活性狀態的離子數量會增加，所以溶液的導電性會增強。

論文答辯會場上的爭論十分激烈。雖然說，大家對論文的實驗部分並沒有太多爭議，但對於結論——電解質在水中會自動解離，卻一直無法認同。有人是因為陷於過去的理論而反對，有人則是對太過前衛的離子觀點難以接受，再加上主持人克萊夫教授一開始就覺得阿瑞尼斯的電離說十分荒唐，所以在整個答辯會上，阿瑞尼斯一直處於挨打的狀態。

到最後，論文是通過了；阿瑞尼斯也如願拿到他的博士學位，但是這份實驗完整又推理縝密的論文，成績如何？結果讓阿瑞尼斯大失所望，竟然只有「剛好及格」而已……

大家一定也有過這種經驗吧！千辛萬苦、嘔心瀝血、費盡九牛二虎之力做的事，卻換回一個遺憾的無奈結局。嘖嘖，別難過，因為人生很長，還沒跑到終點之前，你怎麼知道眼前的失敗，過一段時間後不會來個大逆轉呢？

在國內得不到學界認同的阿瑞尼斯，不希望自己的理論就此被埋沒。他決定把論文寄給國外幾位有名的物理化學家，一來是宣揚自己的理念，二來也是想聽聽其他專家們的見解。

論文不寄還好，一寄出國竟然收到巨大的迴響。柳暗花明又一村，阿瑞尼斯的電離說，不但從其他科學家那兒獲得了應有的掌聲，還意外的另闢蹊徑，為人類打開通往酸鹼本質的大門。

我要學阿瑞尼斯把情書寄給其他大師審閱，找出為什麼每次表白都被拒絕的原因……

還不是因為錯字太多，根本看不懂……

看來魯芙可能有收過……

 **快問快答** ||||||||||||||||||||||||||||||||||||||||||||||||||||||||||||||||||||||||||||

1 電解質是什麼？為什麼我們運動完以後，要喝運動飲料補充「電解質」呢？

顧名思義，**溶解於水後能導電的物質就是「電解質」**，例如我們平日所吃的食鹽就是最常見的電解質。

人體的生理功能，如神經傳導、肌肉收縮等等，都需要足夠的電解質才能順利運作。但是經過劇烈運動之後，電解質很容易隨著大量的汗液流出體外，如果沒有適時補充，很可能引起噁心、無力、全身疲勞或肌肉抽筋的現象。所以大量流汗後，可以喝一些運動飲料補充體內的電解質，但是平時不適合把運動飲料當水喝，因為身體需要把過多的電解質排出體外，如果喝下太多的電解質，反而會造成腎臟的負擔喔！

可是我沒錢買運動飲料，怎麼辦？

在水裡加點鹽也可以補充電解質，但沒事不要多喝喔！

2 電解質在水中溶解以後產生「離子」。我們可以看的見嗎？

大部分的離子在水中是無色的，所以我們無法用肉眼觀察到。不過，還是有少數離子會呈現特殊顏色，像是銅離子是藍色、錳酸根離子墨綠色、錳離子則呈現漂亮的淺粉紅色。

3 市面上有一些吹風機，標榜能吹出「負離子」，使頭髮不毛躁、好梳理。請問它們吹出的負離子是什麼？我怎麼什麼都沒有看見呢？還有，負離子吹風機價格不便宜，它的效果真有這麼神奇嗎？

離子是什麼？**就是「帶電的粒子」。帶有負電荷的粒子就稱為「負離子」**。實際上，在負離子吹風機裡，裝有「負離子產生器」。這種產生器能累積電壓，並在負極「尖端放電」放出「電子」。當這些電子被放進空氣中，和「氧氣」結合後就成為「負離子」。

雖然你的眼睛看不見負離子，不過，當它們被吹進你的頭髮後，會產生「同性相斥」的效果，使髮絲與髮絲「保持距離」，頭髮自然比較不會相親相愛的糾結在一起。

不過要使頭髮乖順不毛躁，不見得要花大錢買負離子吹風機，還有其他許多方法可以選擇，像是使用潤絲精、護髮乳；或是選擇風量大的吹風機，以便縮短熱風吹整頭髮的時間，都可以達到讓頭髮好梳理的效果喔。

那「負離子空氣清淨器」呢？原理也跟負離子吹風機一樣嗎？

有一部分是類似的。負離子空氣清淨器，也是利用負離子產生器尖端放電，使空氣中的氧氣帶上負電，變成「負離子」。而這些負離子會使飄浮在空氣中的灰塵、髒污帶負電，之後就會被帶有正電的地面或牆壁表面吸住，空氣也會因此變得乾淨。

有些空氣清淨器還會進一步加裝「靜電集塵器」，就是讓帶上負電的灰塵微粒隨著氣流因為「異性相吸」而被吸在正極，再被過濾、收集起來，達到更好的空氣清淨效果。

LIS影音頻道 ▶

【自然系列—化學 | 酸鹼03】電離說與離子—不被承認的電離說（上）

你能想像離子在還沒有通電前就存在了嗎？阿瑞尼斯（阿瑞尼士）把他畢生的賭注都賭在這場發表會上了，在三位鐵面教授面前，他開始發表了重要的發現——解離說！

【自然系列—化學 | 酸鹼03】電離說與離子—不被承認的電離說（下）

不服輸的阿瑞尼斯，將論文寄給更多當代知名的科學家，他的發現可以因此翻盤嗎？且讓我們繼續看下去……

第 18 課

電離說（下）：
酸鹼與pH值

阿瑞尼斯 & 索任生

話 說上一課講到阿瑞尼斯提出的「電解質解離說」（簡稱「電離說」），讓當時的科學家們覺得像天方夜譚一樣荒唐！連排出元素週期表的大化學家門得列夫也曾說出重話：「這種近乎幻想的學說(電離說)，就像歷史上的燃素一樣，終將落得全面潰敗的下場。」

前面Que找好幾次，終於輪到找出場了！

或許是因為道耳頓所提出「原子不可再分割」的觀念已經深植人心，再加上當時流行的貝吉里斯的電化二元論認為：「物質」能被電解是因為原子天生就帶電。既然不能再分割又帶電，那怎麼可能會有不帶電的原子和帶電的離子同時存在呢？因此，阿瑞尼斯受到了各界科學家的嘲笑和抨擊，他索性心念一轉，把自己的研究論文寄給國外各地的同行。沒想到，原本被批評的一無是處的電離說，馬上被德國的物理化學家奧士華（Friedrich Wilhelm Ostvalds）當成寶！而且迫不及待的與阿瑞尼斯展開聯絡。

威廉・奧士華
1853～1932
德國物理化學家

電離說的絕地大反攻

原來，奧士華專門研究「酸催化」，利用各種不同的「酸」進行催化反應。他的研究正面臨一個瓶頸：「為何同樣都是酸，有些催化效果很強，有些卻很弱？其中的原因是什麼呢？」

老師暫停一下，「酸催化」是什麼東東呀？

酸催化就是利用酸促成化學反應進行，但是「酸」本身不會參與反應。

我明白了，就是用酸讓化學反應變快，但不影響反應結果！

沒錯！所以此時出現的阿瑞尼斯的「電離說」，簡直像是為他量身打造，解釋了奧士華遲遲無法解決的問題！電離說指出：每種酸都含有「氫原子」，但真正能代表酸性強弱的不是「氫原子」，而是「氫離子」。換句話說——當我們把酸溶於水後，能解離出愈多氫離子，酸性就愈強，催化效果當然也愈強了。

　　不只如此，電離說還指出：強酸在水中解離的效果比弱酸好，所以強酸的氫離子濃度比弱酸高，能表現出更明顯的反應性，導電效果當然也比弱酸強。

　　奧士華對阿瑞尼斯的實驗大感興趣，特地跑到瑞典，找阿瑞尼斯一起擬定研究計畫。他熱情邀約阿瑞尼斯成為他的研究夥伴，到他任職的里加大學（Riga Technical University，現為拉脫維亞著名的里加工業大學）工作，這對於在國內四處碰壁的阿瑞尼斯，無疑是遲來的肯定與鼓勵啊！

太感動，終於有人相信我了…

阿瑞尼斯

歡迎你來！

電離說

奧士華

1900年時的里加大學

除此之外，電離說也同樣幫助了荷蘭的物理化學家凡特何夫（Jacobus Henricus van 't Hoff）。凡特何夫是研究溶液「熔沸點變化」的著名科學家，他在非電解質溶液的預測上十分準確，但只要碰上酸、鹼、鹽溶液——也就是電解質溶液，就會出現偏差。

雅各布斯・亨里克斯・凡特何夫
1852～1911
荷蘭物理化學家

1888年，阿瑞尼斯和奧士華一同到阿姆斯特丹去拜訪凡特何夫，在他的實驗室裡一起進行實驗，並嘗試用電離說的概念，驗證凡特何夫的研究。就這樣，他們三人的理論互相支持、彼此印證，成為親密戰友，時常互通有無、討論實驗與分享發現。

而隨著時間推移，阿瑞尼斯的電離說能解釋的實驗愈來愈多，影響力也像微風吹拂下的蒲公英種子一樣，在國際間不斷擴散。

真理總會出頭天

直到1897年，發現了比原子還小的「電子」（感謝天！原子終於不是不可分割的——發現電子的過程請見下一課），也證實了帶負電的電子可以在原子間穿梭，形成帶有電荷的「離子」，這才讓原本反對電離說的學者們，突然發現自己竟然站在真理的對立面，阻擋了科學的前進。

話雖如此，這種不小心就被「打臉」的現象在科學上其實十分常見。因為真理是未知的，科學的本質就是要藉由不斷的質疑去挖掘真相；質疑不是惡意，而是科學研究最重要的精神。反正，受到考驗就卡關的理論，自然就會被淘汰，雖然我們不能說通過重重科學檢驗而留下來的理論，肯定

就是真理，但它至少會比被淘汰的理論更接近真理。

好了。阿瑞尼斯的故事講完了，這也代表我們人類終於揭開酸鹼的神祕面紗——原來，**溶液的酸鹼性，是因為「氫離子濃度」高低不同所造成**。

只是，了解原因不代表就能精準判斷酸鹼的強弱。請想像一下，如果你跟過去的科學家一樣，只知道酸鹼性來自於氫離子的濃度，那你要如何判斷一杯溶液是酸是鹼？而酸鹼的強度又如何呢？

或許你會說：「我們有酸鹼試劑呀！」這點倒是沒錯。早在西元1300年，煉金術士就知道用石蕊溶液浸溼濾紙做成石蕊試紙，來檢驗溶液的酸鹼性。如果溶液用石蕊試劑測出來是紅色，就是「酸性」、藍色則是「鹼性」，但是到底有多酸、多鹼？說實話，我們根本說不出個所以然來。而且用顏色判斷並不是很準確，因為A看到的藍色，可能跟B看到的藍色完全不一樣，更何況在這個世界上還有不少人是色弱或色盲呢！

後來，有一個飽受困擾的科學家，在阿瑞尼斯的電離說得到諾貝爾化學獎後的第六年，公開一個大受歡迎的解決辦法，那就是現在世界通用的「**pH值**」。這個聰明的科學家，就是來自丹麥的瑟倫・索任生（另譯索倫森，Søren Peder Lauritz Sørensen），大家是不是該掌聲鼓勵鼓勵？

pH值從哪兒來？

0.0000000000001？

0.000000000000001

現在數到第幾個0了？！

瑟倫・索任生
1868～1939
丹麥化學家

索任生原本就讀哥本哈根大學醫學系，後來才轉攻化學並成為化學博士。畢業後，他在哥本哈根著名的嘉士伯實驗室（Carlsberg Laboratory）工作，主要研究「離子濃度」對蛋白質酵素的影響。

聽不懂？這很正常。其實簡單來說，索任生就是研究蛋白質酵素在酸鹼溶液中到底會起什麼反應。所以他的實驗一天到晚都要考慮溶液中的「氫離子」濃度到底有多少。

通常，索任生的任務，就是在不破壞蛋白質的情況下，去觀察蛋白質的自然變化。可是，既要蛋白質起作用又不能被破壞，酸鹼濃度必須很嚴格的控制在某個範圍──只要超出這個範圍，變得太酸或太鹼，都會使蛋白質「變性」，毀了整個實驗。

蛋白質「變性」，就是蛋白質改變了
化學結構。像原本液態的蛋黃、蛋白，
加熱煮熟後變成固態的荷包蛋，
就是一種「變性」的過程。

變性

這種實驗在現代當然不成問題，但對一百多年前的化學家來說，卻是莫大的挑戰。因為以前的酸鹼指示劑顏色變化並不精確，很難對實際的酸鹼程度提供明確標準，所以就算知道「某某蛋白質只能在『這麼酸』的溶液下進行實驗」，但「『這麼酸』到底有多酸？」說真的，當時的化學家極難以判斷。

可惡，
蛋白質又凝固了！
到底要用多酸的溶液，
才能順利進行實驗？

索任生

就是因為這樣，索任生的蛋白質實驗很容易失敗，讓他相當頭大。

還好，後來有人找出了利用「電壓」測量離子濃度的方法。只是溶液裡的氫離子濃度往往非常非常非常小，例如純水中的氫離子濃度，只有每公升0.0000001莫耳（mol，莫耳是化學計量單位，用於表達原子、電子和離子等微觀粒子的數量）、海水是0.00000001莫耳、肥皂則是0.0000000001莫耳，而通水管的清潔劑，大約只有0.00000000000001莫耳……每一個小數點後面都跟著超級多個0，只

要一恍神，很容易就會看錯或算錯。

不信的話，給自己三秒，看有沒有辦法瞬間比出0.0000000000005和0.000000000002這兩個數字究竟誰大誰小？是不是很惱人也很容易出錯呢？

這些氫離子濃度實在太不容易判讀了，還好，山不轉路轉、路不轉人轉，身為頭號受害者的索任生，索性發明一個簡單的替代方法，那就是我們現在廣泛使用的「pH值」。

索任生在他的筆記中寫到：**pH值代表的是氫離子的強度**（power of hydrogen ion或是拉丁文的pondus hydrogenii）。用簡單的數學表示就是：

$$[H^+]（即氫離子濃度）=10^{-pH}$$

如果要轉換成公式的話，其實就是拿氫離子濃度去取對數加負號，像這樣：

$$pH值=-\log([H^+])$$

看到陌生的數學公式開始讓你頭昏了是嗎？其實不會算沒關係，只要了解pH值代表的意義就行了。重點是，經過這樣算出來的數字倒真的好看很多呢！我們來看看它的before and after：

通水管清潔劑的氫離子濃度	
Before（直接用莫耳計算）	After（換算成pH值後）
0.00000000000001	14

是不是效果很好？14比0.00000000000001平易近人多了！而且從pH值的定義來看，只要氫離子濃度越高，它的pH值就會愈小。這樣一來，物質的酸鹼性，也可以很容易用pH值比較出來——**pH值的數字愈小就愈酸、數字愈大則愈鹼。**

1909年，索任生發表論文時，也順便把他發明的pH值概念公諸於世。他大力宣傳pH值的「方便」（快速判斷酸鹼）、「準確」（馬上可以回推氫離子濃度）、「好用」（不被數字搞的頭昏眼花），讓許多科學家眼睛一亮，注意到了這個簡潔又有趣的數值。

慢慢的，好用的pH值在科學界形成風潮，愈來愈多人跟著使用，漸漸成為國際間普遍使用的酸鹼指標，一直流傳到現在。

原來pH值是這樣發明的啊！

還好有pH值，不然光算氫離子濃度有幾個0就昏頭了～

不過，索任生一開始的pH值寫得相當隨意，所以在世界各地出現各種不同的寫法，像是「pH*」、「Ph」、「PH+」……直到1920年，美國生物化學會才訂出「pH」值（potential of Hydrogen）的統一用法；後世我們這些學化學的人，也少了從此頭昏眼花之苦。所謂「前人種樹，後人乘涼」，化繁為簡的pH值，正是索任生大師帶給後世最重要的小確幸呢！

快問快答 ||||||||||||||||||||||||||||||||||||||||||||||||||||||||

1 課本圖表中的pH值範圍，大部分是從1～14。pH值只能在1到14之間嗎？

當然不是。像10M（M代表莫耳濃度）濃鹽酸的pH值就是-1；1M的濃鹽酸pH值則為0；而10M的氫氧化鈉溶液pH值就是15，所以pH值可以是小於1或大於14，只不過在日常生活中，很少出現這種極酸、極鹼的狀況，一般的pH值範圍在1～14就非常夠用了。

常見的pH值指標與對應物品

| 電池酸液 | 檸檬 | 番茄 | 牛乳 | 血液 | 胃藥制酸劑 | 肥皂 | 排水道清潔劑 |

| 0 | 1 | 2 | 3 | 4 | 5 | 6 | 7 | 8 | 9 | 10 | 11 | 12 | 13 | 14 |

| 胃酸 | 醋 | 咖啡 | 水 | 小蘇打 | 氨水 | 強鹼 |

2 為什麼pH值等於7代表中性？為什麼不是6？或者是8呢？

其實物質中性的時候，pH值不一定是7。**「pH＝7」代表中性，是在「常溫常壓」的狀態下**，也就是大約在一個標準大氣壓（1 atm）、25℃的環境之中。在常溫常壓下，一公升的水會有10^{-7}莫耳解離成氫離子和氫氧根離子，此時氫離子的濃度，恰好等於氫氧根離子的濃度，所以才會呈中性。又因氫離子濃度為10^{-7}M，所以取pH值等於7，剛好代表中性。

不過，**如果不是在常溫常壓的環境，pH值等於7不一定是中性**，例如把溫度提高到100℃時，pH值大約6才是中性。

LIS影音頻道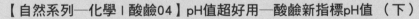

【自然系列—化學｜酸鹼04】pH值超好用—酸鹼新指標pH值 （上）
阿瑞尼斯的電離說出現後，人們了解物質解離出的氫離子多寡，才是造成酸鹼性強弱的關鍵，更出現了可用來表現酸鹼強弱的「氫離子濃度表」……

【自然系列—化學｜酸鹼04】pH值超好用—酸鹼新指標pH值 （下）
為自己的名譽奮力一搏的科學家索任生（索羅森），拼了命的做實驗，終於成功發明出了特殊方法「pH值」來解決複雜的濃度表現方式，快來看看他的世紀大發現吧！

第 19 課

發現電子與原子模型

湯姆森 & 拉塞福

前 兩課都說到，阿瑞尼斯提出「帶電離子」的觀點，受到各方質疑，主要是因為「原子不可再分割」的說法，已經像是聖經般的存在、深入人心，所以人們很難再接受新觀念。

但是，原子真的是這個世界上最小的粒子嗎？會不會有更小的粒子藏在原子裡面？只是因為我們的技術還不夠厲害，所以才誤以為原子不可再被分割呢？

在道耳頓提出「原子說」一百年後，化學家還無法探知的原子世界，就由物理學家發現了……

你愈來愈厲害了！

道耳頓

這次輪到我被打臉了。

別難過，科學的進展就是這樣的，會不斷出現更進步、更完整的新學說……

原子說論文

陰極射線管帶來的衝擊

話說這個時候正是十九世紀下半葉，「電磁學」的研究開始變得熱鬧，像是電報、電話、發電機、電燈、電車等各種電力裝置，紛紛被發明出來，工業領域也從此進入了電氣化的時代。不過，會用電不代表瞭解電。坦白說，這個時期的科學家，其實並不知道「電究竟是什麼」。

當時的科學界流行著一種神奇的科學玩具——「陰極射線管」。什麼是陰極射線管呢？簡單講，就是一根兩端被裝設「陰極」和「陽極」的玻璃管，管子裡幾近真空，只剩下一點點的空氣，只要兩端通上強大的電壓，管子的陰極就會發出一道光束射向陽極，並在面對陰極的玻璃壁上發出螢光，由於這道光束是從陰極射出來的，所以稱為「陰極射線」。

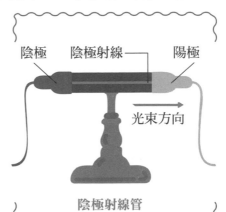

陰極　　陰極射線　　　陽極

光束方向

陰極射線管

威廉‧克魯克斯
1832～1919
英國物理學家、化學家

最早的陰極射線管是由英國科學家威廉‧克魯克斯（William Crookes）製作出來的；所以又被稱為「克魯克斯管」（Crookes tube）。

當時的科學界對這根通了電會發光的管子非常著迷。這道光束是怎麼來的？光的軌跡又代表什麼意義？沒想到在往後的二十年裡，掀起了一場是「波」還是「粒子」的世紀論戰。其中，德國的科學家大多認為陰極射線是「波」，英國的學者卻認為陰極射線是「粒子」。

光是光波，陰極射線也是「光」，想當然爾就是「波」。

才不是！陰極射線跟一般的光不一樣，它不是「波」，是一顆顆的「粒子」！

德國科學家　　　　　英國科學家

儘管當時有些實驗已顯示，陰極射線似乎同時具有「波」和「粒子」的性質，但是兩邊的強硬派都不肯接受模稜兩可的結論。因為當時的科學家還不能想像世界上居然有既是波、又是粒子的東西。所以這些科學家一心只想找到一個關鍵性的實驗，能「一槌定音」平息學界的爭論。就在此時，我們的主角出現了，他是來自英國的物理學家，也是電子的發現者——約瑟夫‧湯姆森（Joseph John Thomson）。

打開基本粒子大門的人

約瑟夫・湯姆森
1856～1940
英國物理學家

　　湯姆森的父親是個書商，我們姑且稱他為「湯爸爸」吧！身為書商，湯爸爸非常了解缺乏知識的痛苦，所以特別重視孩子的教育。還好，他的工作是幫大學印製課本，往來朋友多半是附近大學的教授，家裡也充滿書香氣息。在得天獨厚的環境薰陶下，兒子湯姆森從小學

業就十分突出，十四歲進入曼徹斯特大學就讀，二十一歲保送劍橋大學的三一學院、二十八歲就當上物理界赫赫有名的劍橋大學卡文迪西實驗室（Cavendish Laboratory）主任，成為當時眾所矚目的超級新星。

　　1896年，科學界對於「陰極射線究竟是波還是粒子」，已經吵了將近二十年。在英國科學會的請託下，四十歲的湯姆森正式加入了這場世紀論戰。

不過早在湯姆森之前，發明「克魯克斯管」的克魯克斯，已經對陰極射線做了深入的研究。他在管子裡，安裝一個十字形的擋板，通電後在正對陰極的玻璃壁上，出現了一個十字形的陰影，所以他認為陰極射線就像光一樣直線前進，才會出現如此清晰的影子。（如下圖）

通電前　　　　　　　　　　　　通電後

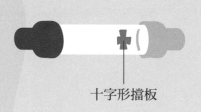 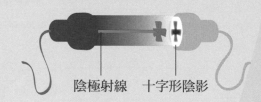

十字形擋板　　　　　　　陰極射線　十字形陰影

克魯克斯又在管子裡裝上一個小型的風車，通電以後，風車竟然轉動起來，所以他認為陰極射線是由粒子組成的，因為只有實體的「粒子」能推動風車，「波」是辦不到的！

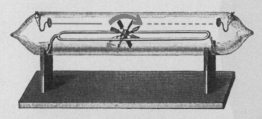

被陰極射線推動的風車

克魯克斯還發現，如果拿磁鐵靠近陰極射線，陰極射線的方向就會偏折，可見這種粒子帶電。於是他得出結論——**陰極射線是一種直線前進且帶電的粒子流**。

而我們的主角湯姆森，參考這些前人得出的實驗結果，設計未來的實驗方向。他想：

「我只要能找出陰極射線具有『質量』，總該能證明它就是『粒子』了吧！」

不過，要怎麼捕捉我們眼睛看不到的微小粒子呢？總不能把它們收集起來秤重吧？！還好，聰明的湯姆森設計了一個十分精巧的實驗。

由於陰極射線受到「電」和「磁」的影響時，前進方向都會偏折，像這樣：

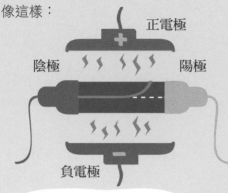

在管子上下方加上正電極和負電極，通電以後，陰極射線會往正極方向偏折，可見陰極射線帶負電。

湯姆森

如果拿磁鐵靠近，陰極射線也會因為磁鐵影響而偏折。

於是，湯姆森調整電場和磁場的大小，使射線受到的電力和磁力大小相等、方向相反，力量剛好抵消，陰極射線就不會偏折。

然後，再拿此時電場和磁場的數據經過一連串計算，剛好可以得出陰極射線的「**荷質比**」（又稱比荷、比電荷，m/Q），也就是**每一克粒子帶電的電量，大約是1.76 × 10⁸（庫侖/克）**。這麼一來就能確定陰極射線是「粒子」無誤，雖然它很小，沒有人看得到，但是因為它有質量，所以肯定是「粒子」沒錯！

不過，這些粒子是什麼？會不會因為陰極的金屬不同而有所不同呢？為此，湯姆森換了幾種金屬，重複原本的實驗，結果發現不管陰極

怎麼換，這些負電粒子的荷質比都一樣，可見「**所有的物質應該都擁有這種負電粒子**」。

換句話說，湯姆森發現了一種超小粒子，普遍存在於所有的原子裡面。1897年，他公開這個發現時，稱它們是「**微粒**」。直到1899年，才改用英國物理學家斯坦尼（George Johnstone Stoney，1826～1911）所發明的「**電子**」（electron）一詞來稱呼它們。

湯姆森的「梅子布丁原子模型」

電子！電子！原子竟然還可以分割成更小的單位！湯姆森因為發現了電子，被譽為「打開物質基本粒子大門的偉人」。他的貢獻不是只有發現電子、讓人們瞭解了電的本質；更重要的是，他改變了人們看待世界的方式，也打開人們對物質內部那個微小世界的想像。

所以接下來，人們開始思考：既然原子裡，具有帶「負電」的電子，那應該還會有帶「正電」的東西存在吧？不然的話，整個原子怎麼可能會是電中性的呢？而且，如果我們真的找到了這些帶著其他電性的微小粒子，它們在原子裡面又是怎麼分布的呢？

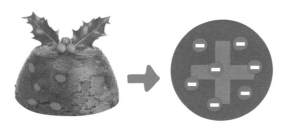

梅子布丁（plum pudding）是英國人聖誕節常吃的傳統點心，裡面有很多葡萄乾。由於當時的plum，指的是葡萄乾，所以湯姆森的「梅子布丁原子模型」。有時候也被翻譯成「葡萄乾布丁模型」。

這時候，湯姆森提出了「**梅子布丁模型**」（Plum Pudding model），他認為，電子是均勻分布在原子之中，就像「梅子布丁」裡的「梅子」一樣。

只是，原子裡面帶正電的東西到底是什麼呢？湯姆森自己也不知道。直到將近十年以後，才由他的學生拉塞福（Ernest Rutherford）揭開謎底。

打碎
原子計畫

歐內斯特·拉塞福

1871～1937

紐西蘭物理學家

1897年，湯姆森向世界宣布了「電子」的存在。這讓原本就十分有名的卡文迪西實驗室，更是紅的發紫，吸引了世界各地的菁英加入。

當時，有個特別的研究生，來自遙遠的南半球——紐西蘭。他剛來時被當成土包子，但是優秀的研究能力卻漸漸令所有人刮目相看。他是拉塞福，一個原本研究電磁波，卻誤打誤撞闖進原子世界的傑出科學家。

拉塞福會半路轉行，其實是因為湯姆森的建議。而且拉塞福果然厲害，擅長設計實驗的他，轉到原子領域僅短短一年，就成功從「鐳」（Ra）元素裡分離出三種不同的射線——**α射線**、**β射線**、**γ射線**。所以他一畢業，馬上受湯姆森的推薦，轉到加拿大的第一學府、位於蒙特婁的麥吉爾大學（McGill University），從事原子相關的研究。

在加拿大的九年裡，拉塞福的放射線研究在世界上許多領域都造成轟動。所以當他1907年回到英國時，包括德、英、法、丹麥等歐洲各國的菁英，紛紛聚集到他的實驗室，宛如一個科學聯合國。為了探索原子裡的迷你世界，熟悉各種射線的拉塞福，更構思了一個「打碎原子」的全新實驗。

只要打碎一顆原子，我們不就可以知道原子裡有什麼東西了嗎？

拉塞福

拉塞福計劃是——選用速度快、質量重的「α射線」當「砲彈」，去打一張薄到幾乎只有「一顆原子」厚度（0.0000086cm）的金箔。為了確保被炸碎的原子碎片和射出的砲彈都能被完整觀測，他還準備了感測器把金箔團團圍住。如此一來，只要檢測感測器上發生的蛛絲馬跡，就可以間接推論出原子的內部樣子。

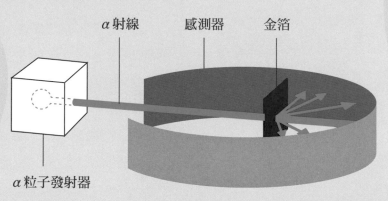

α射線　　感測器　　金箔

α粒子發射器

OK，一切就緒，有名的**「拉塞福散射實驗」**即將開始。拉塞福已經做好心理準備：

「如果湯姆森老師的『梅子布丁模型』是對的——帶負電的電子均勻的分布在整顆原子，α射線的粒子應該大部分會直接穿過像原子一樣

薄的金箔，只有少部分會產生小幅度的偏轉。」就像下圖：

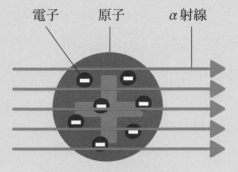

電子　　原子　　α射線

湯姆森模型的實驗假想圖

但是如果不是呢？

「誰知道？先做實驗看看實際的結果再說吧！」

於是，拉塞福的打碎原子計劃開始了。

起初，大部分的砲彈都直直的朝著金箔穿透過去。

「或許湯姆森先生是對的，你看，α射線全都順利通過了！」他的研究夥伴、德國物理學家漢斯・蓋革（Hans　Geiger，1882～1945年）說。可是，拉塞福直覺現在下結論還太早。

「這些不見得是全部的結果。我們再多重複幾次，只有不斷的重複才能發現偶然現象，而這些偶然的現象，背後多半伴隨著我們沒有注意到的規律。」拉塞福建議蓋革用其他角度打打看，再觀察結果。

幾天後，蓋革又驚又喜的拉著拉塞福跑向實驗室。

「拉塞福先生，你說的沒錯，雖然大部分的α射線都穿過了金箔，但竟然有極少數發生了180度的偏轉！」蓋革興奮的說。

「咦，你是說α射線直接被反彈了嗎？」拉塞福不敢相信自己的耳朵：「如果原子內部真的長得像湯姆森老師提出的梅子布丁模型，α射線是不可能被反彈，除非……」

「除非原子裡面有比α粒子更大、更重的粒子團才有可能辦到！」

為了讓自己腦中的想法更清楚。拉塞福把自己關進實驗室，好幾天沒出來，後來他準確的量出──每8000顆α粒子，會有一顆發生反彈

的現象。所以他認為：

「除了湯姆森老師發現的電子外，原子內部一定有一個集中了全部的正電與質量的『核』，這個核可以將帶正電的α粒子完全反彈，但它非常小，跟整個原子的體積比起來，就像是高爾夫球之於高爾夫球場，所以α射線每8000發才有一發擊中它。」

「如果是這樣，那原子內部應該是長什麼樣子的呢？」拉塞福的學生紛紛問他。

「看來，原子的內部是不太可能像湯姆森老師所說的『梅子布丁』了。」拉塞福認為：「原子中心應該有非常微小的『**原子核**』，而電子會圍繞著原子核旋轉，就像行星會繞著太陽轉的太陽系！」

這就是拉塞福在1911年提出的**「行星模型」**（Planetary model）。

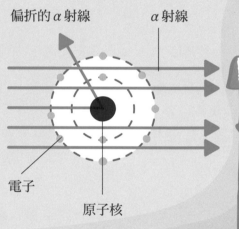
偏折的α射線　　　　α射線

電子

原子核

我好佩服這些科學家喔！

就這樣，拉塞福站在巨人的肩膀上提出**「行星模型」**（又稱**太陽系模型、拉塞福模型**），而這次，換他自己也變成了科學界的巨人。只不過，大家信服他的實驗，卻對他的行星模型有很多疑問。

「電子為什麼可以繞著原子核轉個不停？」、「帶負電的電子為什麼不會被帶正電的原子核吸住呢？」這些問題，拉塞福暫時也無法解釋，因為這牽涉到原子內更細微的構造和運動，有待後續科學家的努力。

換句話說，原子核裡還有更小的粒子嗎？拉塞福覺得很有可能。時代的巨輪繼續往前推進，總有那麼一天，或許是拉塞福，或許是其他科學家，會站在一個又一個巨人的肩膀上，解開原子內部的世紀之謎。

是呀，因為有他們前仆後繼的實驗探究，才有今日科學的飛快進展喔！

快問快答

 陰極射線管聽起來很好玩。現在還買的到陰極射線管嗎?

詢問製作物理教具的商家有可能買的到。但你知道嗎?在液晶螢幕出現之前,那種厚厚的「映像管」電視或電腦螢幕,就算是一種陰極射線管喔!

它們都是利用後方的電子槍發射電子射向螢光幕,使螢幕發光,所以需要有一定的厚度,體積龐大又佔空間。因此,進入二十一世紀後,就逐漸被又輕又薄的液晶螢幕所取代了。

② 為什麼湯姆森要拿「梅子布丁」來形容原子呢？我根本沒看過梅子布丁呀！

湯姆森是英國人，而梅子布丁是英國的傳統點心。英國人拿英國的傳統點心做比喻，不是非常合情合理嗎？

但如果你希望用比較熟悉的食物來比喻原子的話，其實湯姆森的原子模型又叫做**「西瓜模型」**，電子就像西瓜裡面的西瓜子均勻散布在整個原子裡面，這樣是不是好懂多了呢？

嗯，說到西瓜，這個我就內行了……

你比較內行的是吃西瓜吧！

LIS影音頻道 ▶

【自然系列─化學 | 物質探索08】電子的發現─超原子時空冒險首部曲（上）

二十一世紀上課正在打瞌睡的嚴八，和十九世紀在做實驗的查兒克，不小心交換了靈魂！跑到十九世紀的小查，無意中撞到了有著超潮名字的科學家：JJ湯普森（湯木生），接下來會發生什麼事呢？

【自然系列─化學 | 物質探索08】電子的發現─超原子時空冒險首部曲（下，修正版）

湯普森教授發現了陰極射線中的帶電粒子─電子，小查也不禁想起學校老師教過的內容，原來電子中似乎藏著不得了的祕密……

第 20 課

質子、中子與
其他構成原子的粒子

拉塞福&查兌克

上一堂課我們提到，湯姆森和拉塞福分別提出原子模型以後，大家才開始懷疑：原子裡除了帶負電的電子之外，應該還藏著帶正電的粒子，這樣整個原子才會呈現電中性的穩定狀態。可是，這個粒子是什麼？在哪裡？怎麼讓這麼微小的粒子現身呢？

想想看，如果你是拉塞福，既然「打碎原子計劃」這麼成功，為人類發現了原子內部的構造，你會不會想再玩一次「打碎原子」，説不定還能找出什麼新的名堂？

十個人中應該有九個半會這麼想吧！拉塞福也不例外。因此他在1919年回到卡文迪西實驗室擔任主任時，決定再玩一次打碎原子的實驗。

打碎原子 PART 2

只不過，這次的計劃不太一樣。

記得嗎？上次拉塞福的實驗是打金箔，這次的目標卻是打「空氣」——當α射線射向虛無飄渺的空氣、打中氣體原子時，會發生什麼新鮮有趣的事呢？

結果打著打著，果然在「氮氣」身上打出有趣的事來了。拉塞福發現，在這麼多氣體中，只有氮氣被α射線撞擊後會發生變化。例如，在只有「氮氣」的空間中，射入α粒子，竟然會出現「氧」及「氫原子核」！如果是你，會如何解讀這種前所未見、莫名其妙的現象呢？

嘿嘿，請先別回答我這因為α粒子和氮原子產生了核反應，製造出氧原子和氫原子核，就像以下的公式：

$$\,^{4}_{2}\mathrm{He} + \,^{14}_{7}\mathrm{N} \longrightarrow \,^{17}_{8}\mathrm{O} + \,^{1}_{1}\mathrm{p}$$

| α粒子 | 氮原子 | 氧原子 | 氫原子核 |

雖然這種說法一點都沒錯。但在拉塞福進行實驗的年代，人們根本不知道原子核裡有中子、質子，更不曉得原子核竟然還可以被「撞破」，發生分裂、融合等變化。

所以，拉塞福第二次的「打碎原子計劃」，正是人類史上第一個**「核反應」**實驗！換句話說，這是人類第一次有能力，用人為方式使微小的原子核產生變化，這象徵著人類的科學，已經從**「電的時代」**，堂堂邁入**「核子時代」**！

發現質子

更重要的是，拉塞福這次不但打碎了原子，還打出了後來被稱為**「質子」**的**「氫原子核」**。

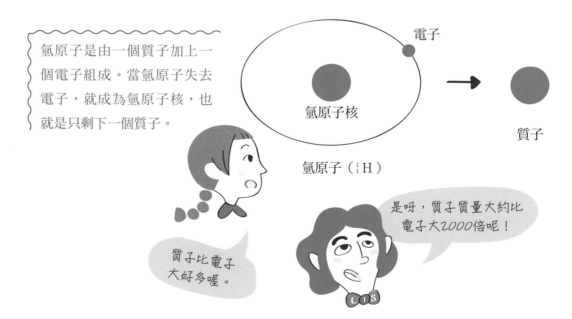

氫原子是由一個質子加上一個電子組成。當氫原子失去電子，就成為氫原子核，也就是只剩下一個質子。

電子

氫原子核

氫原子（${}_{1}^{1}H$）

質子

質子比電子大好多喔。

是呀，質子質量大約比電子大2000倍呢！

拉塞福認為，氮原子被快速的 α 射線撞擊以後，釋放出來的氫原子核，應該就是組成各種原子的基本粒子。這是因為它的帶電量恰好與電子相

同，而其他原子的重量，更恰好是氫原子核的整數倍（因為電子的重量很輕，此處刻意忽略掉電子的重量），可見各種不同的元素，都是由這種粒子堆疊而成的。

而由於氫原子核裡只有一顆這種粒子，於是他將這種粒子取名為「**proton**」，在希臘文裡就是「第一」的意思，也就是我們現在說的「**質子**」。

原子內還有第三個粒子

發現質子後，終於解答了原子為何呈現電中性的問題了。但是科學最有趣的地方往往在於──找到一個解答的同時，又產生了其他更多的問題。拉塞福也碰到了同樣的困境。

當他找到質子，並且測量出質子和電子的質量之後，問題來了。質子加上電子呈現電中性了，但是，它們兩個加起來的質量，怎麼會只等於半顆原子的質量呢？原子其他的質量是從哪裡來的？難道除了電子、質子，原子裡還有其他粒子嗎？

如果有的話，這個粒子一定不帶電，這樣一來，整個原子才會呈現電中性。但是如果這個粒子不帶電的話，會帶來很大的難題，因為不帶電的粒子，將不受電場或磁場的影響，做實驗時，就很難像電子或質子般，透過電或磁就能把它們找出來。

因此，儘管拉塞福大膽的假設：**原子內一定還存在著不帶電的粒子！** 但是要怎麼找到這個不帶電的粒子呢？很快的，就為科學界增加了一道新的難題。

真是燒腦啊！這該怎麼破解才好？還好，這個時期的化學已飛快發展，這個大難題「只」花了十幾年，就被拉塞福的學生──查兌克（James Chadwick）給解開了。

超強加馬射線的真相

詹姆斯・查兒克
1891～1974
英國物理學家

自從拉賽福開始用 α 射線作砲彈，打出原子核模型並找到質子後，許多科學家也開始有樣學樣，運用各種射線對著原子撞擊，希望找到更多蛛絲馬跡，揭開原子核裡的祕密。

1930年，德國科學家波特（Walther Bothe，1891～1957）發現，用放射性元素「釙」（Po）發出的 α 射線去撞擊金屬「鈹」（Be），會讓鈹發出一種能量很高、穿透性強的射線，他認為這是一種特殊的 γ 射線（加馬射線，Gamma ray），也就是從原子核射出的電磁波，後來則被取名為「**鈹射線**」（Beryllium radiation）。

三種放射線比一比	
α 射線 ⬡ ➝ 紙	由 α 粒子組成，α 粒子相當於氦原子核，具有兩個質子和兩個中子。
β 射線 • ➝ 鋁箔	由 β 粒子組成，β 粒子相當於電子，可被鋁箔所阻擋。
γ 射線 〜〜〜	是電磁波，具有最高的穿透性。

波特的鈹射線公開以後，引起了專門研究放射性元素的科學家——約里奧－居里夫婦（Frédéric Joliot-Curie，1900～1958 and Irène Joliot-Curie，1897～1956，居里夫人的女兒與女婿）的興趣。他們重複了波特的實驗，決定深入研究鈹射線到底是什麼東西。

很快的，第二年他們的實驗就有新的進展。約里奧－居里夫婦用鈹射線去撞擊石蠟（表面帶有很多氫的一種碳氫化合物），結果打出了許多高速的質子，因為這種射線不帶電又具有高穿透性，所以居里夫婦也將鈹射線解釋為一種「超強 γ 射線」。

不過，這個結論一出現，拉塞福和學生查兌克馬上覺得不對勁……

「正常的 γ 射線，能量不會高到能把質子打下來吧！」查兌克心想：「這個鈹射線很可能不是 γ 射線。搞不好藏著我們找了十幾年的中性粒子也說不定……」

於是他的內心燃起希望，馬上動手重複約里奧－居里夫婦的實驗，並且深入檢驗這種射線究竟帶有什麼性質。

查兒克發現，雖然鈹射線和 γ 射線一樣，不帶電且穿透性極強，但有一點和 γ 射線十分不同，那就是 γ 射線是以光速前進，但這個鈹射線卻慢吞吞，速度只有光速的十分之一！

這個鈹射線速度慢，能量卻這麼高。很接近是我們尋找的中性粒子了！

查兒克

他還發現，γ 射線不能直接打進氮原子，但是鈹射線可以！結論很明顯，這個鈹射線根本就不是 γ 射線。

在約里奧－居里夫婦發表鈹射線研究的一個月後，查兒克也發表了一篇名為《中子可能存在》的文章，清楚說明了他認為中性粒子可能存在的原因。不久後，查兒克更發表《中子存在》的論文，詳細的介紹了自己的實驗與理論，並且鄭重的說明居里夫婦所研究的鈹射線，其實就是就是原子核內的中性原子——**中子**（neutron）。

查兒克還設計實驗，測得了鈹射線的質量——鈹射線粒子的質量與帶正電的質子大略相同，這個結果再一次證明鈹射線就是拉塞福之前所假設的中性粒子，只是這個中子本身就是中性，而不像拉塞福原先所想的：一個質子加一個電子的「雙子」（doublet）組合。

雖然在尋找中子的過程，證明了波特與拉塞福的假設，以及約里奧－居里夫婦的理論都有些瑕疵。但是如果波特沒有用 α 射線去打鈹，就不會發現鈹射線；如果約里奧—居里夫婦沒有花時間去實驗證明鈹射線的特性，查兒克也不一定會注意到鈹射線與 γ 射線根本不一樣，如果沒有拉塞福關於中性粒子的預測，查兒克更可能無法敏銳的從居里夫婦的實驗中看出端倪⋯⋯

總之，**科學是一連串「巨人站在巨人肩膀上」的發現過程**。查兒克眾裡尋它千百度的中子，總算是被找到了。

還有更小的粒子嗎？

終於，從道耳頓提出原子說、湯姆森找到電子、拉塞福發現原子核和質子，到查兌克找到中子……人們花了大約一百三十年，才總算對組成物質的基本粒子，有了進一步的瞭解。

一百三十年，你覺得很久嗎？其實一點也不。相對於人類緩慢建立起整個科學體系所花的四、五千年，一百三十年很短、很快，而且後續進步的速度，還在不斷的加快。到現在，關於物質的基本粒子，人類早已發現質子、中子都是由更小的**「夸克」**（quark）、**「膠子」**（gluon）所組成。而光是夸克就又分成**「上夸克」**、**「下夸克」**、**「奇異夸克」**、**「魅夸克」**、**「底夸克」**、**「頂夸克」**六個家族。而其他微小的基本粒子還有**「μ子」**（又名**「緲子」**，moun）、**「τ子」**（又名**「陶子」**或**「濤子」**，tauon）、**「微中子」**、**「玻色子」**和**「希格斯玻色子」**……

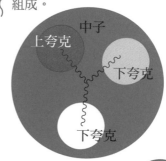

一個中子是由一個上夸克和兩個下夸克所組成。

中子在過去被認為是基本粒子，但現在已經發現，中子裡還有更小的基本粒子「夸克」。

未來，人類還會不會發現其他更多、更微小的基本粒子？答案是——誰知道？現代的科學家都抱持開放的態度，再也不像道耳頓時代前的前輩們，憑著簡單的實驗與假設，就敢鐵口直斷的提出結論。

俗話說，長江後浪推前浪。新一代的科學家比舊一代的科學家知道的更多，也擁有更進步的工具和更完整的理論，但面對科學的不可預期卻更謙卑，也比過去的前輩保留更多彈性、不敢隨便妄下定論。

這是因為現代的科學家，已經非常理解大自然與世界的奧妙深不可測，永遠都有更多、更大、更微小、更奇怪、更想像不到的未知在等著我們，或許這也是我們人類自科學發展以來最大的進步吧！

✏ 快問快答

1 在報章雜誌上，偶爾可以看到「上帝粒子」這個名詞。那是跟神有關的新粒子吧嗎？

所謂「**上帝粒子**」，指的是「**希格斯玻色子**」（Higgs boson）。它跟電子、質子、中子、夸克一樣，是一種構成原子的基本粒子。但是，因為希格斯玻色子一旦生成就會立刻衰變，非常難以捉摸，所以有位為了研究希格玻色子而吃盡苦頭的專家，出書時稱呼它為「該死的粒子」（Goddamn Particle）。不過出版社大概是覺得不雅，把「damn」拿掉，改成普羅大眾可以接受的「God Particle」。從此以後，希格波色子就經常以「上帝粒子」的稱呼出現在大眾媒體上，即使它的出現跟神或上帝根本扯不上關係。

2 拉塞福的「打碎原子計劃」，讓我想起後來出現的「原子彈」。原子彈為什麼叫做原子彈？它跟原子有什麼關係呢？

太可怕了！
希望人類永遠都
不要再用這種武器
彼此傷害……

1945年8月6日，原子彈在日本長崎爆發時的可怕景象。

原子彈的命名，是因為它是利用原子核的分裂、釋放大量的能量而來的。它的原料來自容易分裂的**「鈾-235」**（Uranium-235）或**「鈽-239」**（Plutonium-239）。當鈾-235或鈽-239受到中子撞擊以後，會分裂成較小的原子核並釋放出能量和中子，繼續去撞擊下一個原子核，引發一長串的原子核分裂反應，並釋放出極具破壞性的爆炸威力。

3 聽說歐盟總部所在地的比利時首都布魯塞爾，有個超級巨大的原子模型，它代表的是什麼原子呢？

這個景點是布魯塞爾的地標，名叫**「原子球塔」**（Atomium）。它是為了西元1958年比利時主辦「布魯塞爾世界博覽會」而興建，它的怪異外形，除了呼應當時的博覽會主題「科學、文明與人性」之外，也是為了向世人展現比利時的國力，與當時最先進的製造技術與科技能力。

原子球塔總高102公尺，每個圓球的直徑18公尺，整體外形是一個**放大了1650億倍的鐵晶體單位晶格**。如果登上最頂端的球體，你可以眺望布魯塞爾的市容與風景，還可以搭乘手扶梯或電梯穿梭在連接不同球體的管道中。參觀球體內部的博物館與展覽廳，會是一個非常有趣的經驗喔！

我終於讀完這兩本書了，能幫助我的化學成績突飛猛進嗎？

科學不是天才的產物，而是從淺到深，由一代一代的科學家，站在巨人的肩膀上，接力研究累積的結果。學校課本為了教導精準定義，讀起來不免有點冷冰冰，但看了這兩本書以後，能引導我們從人的角度去思考科學發展。雖然未必能幫你考高分，卻有助於理解化學，也讓化學多了溫度與「人味」，讀起來自然變得有趣多了。

LIS影音頻道 ▶

【自然系列─化學｜物質探索09】質子與原子核的發現─超原子時空冒險二部曲（上）

【自然系列─化學｜物質探索09】質子與原子核的發現─超原子時空冒險二部曲（下）

湯姆森學生拉塞福（拉賽福）是個核能研究專家，他發現原子內部並不是西瓜模型，反而更像是一包洋芋片！中心則有一顆神祕的原子核……

【自然系列─化學｜物質探索10】中子的發現─超原子時空冒險最終章（上）

【自然系列─化學｜物質探索10】中子的發現─超原子時空冒險最終章（下）

小查跑到法國，找到居禮夫人的女兒借傳說中的超狂嘎瑪射線，竟然發現它很有可能就是拉塞福說的中子！有了湯姆森教授發現的電子和拉塞福老師的質子，再加上小查自己提出的中子理論，究竟，他該如何善用這些偉大的科學精華呢？

終於上完課了！以前這些只是在課本上提一下名字的科學家，好像變得親近許多……

原來科學的本質就是不斷提出假設、驗證、推翻……一次次不停重複，才終於得到『比較接近真實的結果』……

沒錯，幫助大家了解什麼是科學研究的精神，以及科學演進的真面目，就是我們設計這二十課最重要的目的喔！

太好玩了！

下課了！祝你們以後讀化學，愈讀愈有興趣喔。

原來化學這麼有趣，沒有那麼難嘛！

 附錄

本套書與十二年國民基本教育自然領域課綱學習內容對應表

　　化學是一門研究物質的性質、組成、結構、乃至變化規律的基礎科學,更連結了物理、數學、生命科學,以及醫學等許多跨領域的科學研究。本套書主要介紹化學理論的演進脈絡,還有眾多科學家不畏艱難、前仆後繼探究真理的研究歷程,特別適合國小高年級及國中年段的孩子閱讀,亦可與學校的課程相互配搭,必可獲得前所未有的學習樂趣。

國民小學教育階段高年級（5-6年級）

課綱主題	跨科概念	能力指標編碼及主要內容	對應內容
自然界的組成與特性	物質與能量（INa）	INa-III-1 物質是由微小的粒子所組成,而且粒子不斷的運動	下冊 道耳頓原子說：P29～40 湯姆森發現電子：P117～124 拉塞福原子模型：P125～143
		INa-III-2 物質各有不同性質,有些性質會隨溫度而改變	上冊 人類學會用火：P18～20 煉金術：P29～42 燃燒現象：P55～66
		INa-III-3 混合物是由不同的物質所混合,物質混合前後重量不會改變,性質可能會改變	上冊 質量守恆：P81～94
		INa-III-4 空氣由各種不同氣體所組成,空氣具有熱脹冷縮的性質。氣體無一定的形狀與體積	上冊 發現氧氣：P67～P80
		INa-III-5 不同種類的能源與不同形態的能量可以相互轉換,但總量不變	上冊 質量守恆：P81～94

課綱主題	跨科概念	能力指標編碼及主要內容	對應內容
		INa-III-6 能量可藉由電流傳遞、轉換而後為人類所應用。利用電池等設備可以儲存電能再轉換成其他能量	上冊 電學研究：P121～127 電池誕生：P133～143
	構造與功能 （INb）	Nb-III-1 物質有不同的構造與功用	上冊 煉金術：P29～42 古典元素理論：P50～60
		INb-III-2 應用性質的不同可分離物質或鑑別物質	上冊 燃燒鑽石實驗：P87～P89
	系統與尺度 （INc）	INc-III-3 本量與改變量不同，由兩者的比例可評估變化的程度	上冊 拉瓦節「定量」實驗：P84～89 濃度會影響實驗結果：P118 下冊 反應平衡：P67～78
		INc-III-4 對相同事物做多次測量，其結果間可能有差異，差異越大表示測量越不精確	上冊 扳倒燃素説的化學革命：P75～78
	改變與穩定 （INd）	INd-III-1 自然界中存在著各種的穩定狀態；當有新的外加因素時，可能造成改變，再達到新的穩定狀態	上冊 濃度會影響實驗結果：P118 下冊 反應平衡：P67～78
自然界的現象、規律與作用		INd-III-2 人類可以控制各種因素來影響物質或自然現象的改變，改變前後的差異可以被觀察，改變的快慢可以被測量與了解	上冊 拉瓦節「定量」實驗：P84～89 濃度會影響實驗結果：P118
	交互作用 （INe）	INe-III-2 物質的形態與性質可因燃燒、生鏽、發酵、酸鹼作用等而改變或形成新物質，這些改變有些會和溫度、水、空氣、光等有關。改變要能發生，常需要具備一些條件	上冊 人類學會用火：P18～20 煉金術：P29～42 燃燒與燃素説：P55～66
		INe-III-3 燃燒是物質與氧劇烈作用的現象，燃燒必須同時具備可燃物、助燃物、並達到燃點等三個要素	上冊 燃燒與燃素説：P55～66
		INe-III-4 物質溶解、反應前後總重量不變	上冊 質量守恆：P81～94
		INe-III-5 常用酸鹼物質的特性，水溶液的酸鹼性質及其生活上的運用。	上冊 石蕊試紙：P104 拉瓦節的酸鹼實驗：P105 下冊 電離説與酸鹼：P105～110 發明pH值：P111～116
自然界的永續發展	科學與生活 （INf）	INf-III-1 世界與本地不同性別科學家的事蹟與貢獻	上下兩冊全

國民中學教育階段（7-9年級）

課綱主題	跨科概念	能力指標編碼及主要內容	本書對應內容
物質的組成與特性 A	物質組成與元素的週期性（Aa）	Aa-IV-1 原子模型的發展	下冊 湯姆森原子模型：P124 拉塞福原子模型：P125～128
		Aa-IV-2 原子量與分子量是原子、分子之間的相對質量	下冊 原子説：P29～39 分子説：P40～54
		Aa-IV-3 純物質包括元素與化合物	上冊 古典元素理論：P50～60 下冊 電解新元素：P23～26 元素週期表：P79～90 有機化合物：P57、58
		Aa-IV-4 元素的性質有規律性和週期性	下冊 元素週期表：P79～90
		Aa-IV-5 元素與化合物有特定的化學符號表示法	上冊 拉瓦節化學命名法：P95～103
	物質的形態、性質與分類（Ab）	Ab-IV-1 物質的粒子模型與物質三態	下冊 湯普森原子模型：P124 拉塞福原子模型：P125～128 發現質子：P131～135 發現中子：P135～138 發現夸克等其他粒子：P139
能量的形態與流動	能量的形態與轉換（Ba）	Ba-IV-4 電池是化學能轉變成電能的裝置	上冊 電學研究：P121～127 電池誕生：P133～143
物質的構造與功能（C）	物質結構與功用（Cb）	Cb-IV-1 分子與原子	下冊 原子説：P29～39 分子説：P40～54
		Cb-IV-2 元素會因原子排列方式不同而有不同的特性	下冊 元素週期表：P79～90
		Cb-IV-3 分子式相同會因原子排列方式不同而形成不同的物質	下冊 同分異構物：P59～65
物質的反應、平衡與製造（J）	物質反應規律（Ja）	Ja-IV-1 化學反應中的質量守恆定律	上冊 質量守恆：P81～94
		Ja-IV-3 化學反應中常伴隨沉澱、氣體、顏色與溫度變化等現象	上冊 可逆反應：P114～117
		Ja-IV-4 化學反應的表示法	下冊 化學反應平衡式：P72～78

課綱主題	跨科概念	能力指標編碼及主要內容	本書對應內容
	水溶液中的變化（Jb）	Jb-IV-1 由水溶液導電的實驗認識電解質與非電解質	下冊 電離說：P91～104
		Jb-IV-2 電解質在水溶液中會解離出陰離子和陽離子而導電。	下冊 電離說：P91～1
	氧化與還原反應（Jc）	Jc-IV-1 氧化還原的狹義定義：物質得到氧稱為氧化；失去氧稱為還原	上冊 發現氧氣與氧化理論：P67～80
		Jc-IV-2 物質燃燒認識氧化	上冊 燃燒與燃素說：P55～66 發現氧氣與氧化理論：P67～80
		Jc-IV-6 鋅銅電池實驗認識電池原理與廣義的氧化與還原反應	上冊 電池誕生：P133～143
		Jc-IV-8 電解水與硫酸銅水溶液實驗認識電解原理	下冊 電解實驗：P17～28
	酸鹼反應（Jd）	Jd-IV-2 酸鹼強度與pH值的關係	下冊 發明pH值：P111～116
		Jd-IV-3 實驗認識廣用指示劑及pH 計	下冊 發明pH值：P111～116
		Jd-IV-4 水溶液中氫離子與氫氧根離子的關係	下冊 電離說與酸鹼：P105～110 發明pH值：P111～116
	化學反應速率與平衡（Je）	Je-IV-1 實驗認識化學反應速率及影響反應速率的因素：本性、溫度、濃度、接觸面積與催化劑	上冊 拉瓦節「定量」實驗：P84～89 濃度會影響實驗結果：P118～120 下冊 化學反應平衡式：P72～78
		Je-IV-2 可逆反應	上冊 可逆反應：P114～117
		Je-IV-3 化學平衡及溫度、濃度如何影響化學平衡的因素	下冊 化學反應平衡式：P72～78
	有機化合物的製備與反應（Jf）	Jf-IV-1 有機化合物與無機化合物的重要特徵	下冊 有機化學：P55～66
科學、科技、社會與人文（M）	科學發展的歷史（Mb）	Mb-IV-2 科學史上重要發現的過程	上下兩冊全
從原子到宇宙（跨科議題）	自然界的尺度與單位(Ea)細胞的構造與功能（Da）生物圈的組成(Fc)地球與太空(Fb)	INc-IV-5 原子與分子是組成生命世界與物質世界的微觀尺度	下冊 原子說：P29～39 分子說：P40～54

名詞索引 依筆畫、注音順序、字數排列

149

圖片來源

Wikipedia維基百科提供：

P20、21、23、35、37、43、44、45、48、50、59、60、72、74、82、83、84、86、88、90、95、96、97、107、108、109、111、120、121、125、136

Shutterstock圖庫提供：

P80、89、106、115、124、129、140、141

◎◎ 少年知識家

科學史上最有梗的20堂化學課下：
40部線上影片 讓你秒懂化學

作者｜姚荏富、胡妙芬
繪者｜陳彥伶
總監修｜LIS科學教材研發團隊
責任編輯｜林欣靜
美術設計｜陳彥伶
行銷企劃｜陳雅婷

發 行 人｜殷允芃
創辦人兼執行長｜何琦瑜
總 經 理｜王玉鳳
總　 監｜張文婷
副 總 監｜林欣靜
版權專員｜何晨瑋

出版者｜親子天下股份有限公司
地址｜台北市104建國北路一段96號11樓
電話｜（02）2509-2800　傳真｜（02）2509-2462
網址｜www.parenting.com.tw
讀者服務專線｜（02）2662-0332　週一～週五：09:00~17:30
讀者服務傳真｜（02）2662-6048
客服信箱｜bill@service.cw.com.tw
法律顧問｜瀛睿兩岸暨創新顧問公司
總經銷｜大和圖書有限公司 電話：（02）8990-2588

出版日期｜2019年3月第一版第一次印行
　　　　　2019年4月第一版第三次印行

定價｜380元
書號｜BKKKC114P
ISBN｜978-957-503-363-7（平裝）

訂購服務 ─────────────────────
親子天下 Shopping｜shopping.parenting.com.tw
海外・大量訂購｜parenting@service.cw.com.tw
書香花園｜台北市建國北路二段6巷11號　電話（02）2506-1635
劃撥帳號｜50331356 親子天下股份有限公司

國家圖書館出版品預行編目資料

科學史上最有梗的20堂化學課：40部線上影
片讓你秒懂化學 / 姚荏富, 胡妙芬文；陳彥伶
圖. -- 第一版. -- 臺北市：親子天下, 2019.03
下冊；　18.5 x 24.5 公分

ISBN 978-957-503-362-0(上冊：平裝). --
ISBN 978-957-503-363-7(下冊：平裝)
1.科學 2.教學法 3.中小學教育

523.36　　　　　　　　　　　　　108001319

立即購買 >